사바하

SVAHA

사바하

✦

장재현 각본

은선사

감독의 말

비극(Tragedy)

요즘 사람들은 비극을 싫어한다. 나 또한 그렇다. 어두운 극장에
두 시간을 갇힌 보람이 허무함과 씁쓸함이라니… 하지만 극장에서
집으로 가는 길에 그 두 시간의 여운이 가슴속을 채우더라.
비극은 그런 것이다.
'비극' 즉 'Tragedy'의 어원은 Tragi(염소) + Oide(노래)이다.
고대에 힘들게 살던 대중들이 산양을 대신 제물로 바치면서
그 죽음을 슬퍼하는 합창인 것이다. 그 슬픔과 눈물의 노래는 다시
관객 자신에게 돌아오며, 오히려 위안과 평온을 갖게 된다.
〈사바하〉라는 이야기를 만들며 수많은 종교인들과 학자들을 만나
자료를 수집했다. 나는 본능적으로 이 이야기를 가볍고 유쾌하게
만들 수 없음을 깨달았고, 조심스럽게 소재와 이야기에 접근했다.
무거운 이야기와 슬픈 영화를 만들게 되었다.
〈사바하〉는 비극이다.
다소 복잡해 보이는 과정 중에 죽어간 수많은 아이들과 당사자들.
그래서 금화와 그것이 태어나는 그날, 수많은 염소들 즉 같은 해에
태어난 희생양들이 그리 슬피 울고 있었으리라.
나는 단순하게 그 희생들의 허무함과 슬픔만으로 관객들을

극장에서 나가게 하고 싶지 않았다. 욕심이면 욕심이지만…
말하고 싶었고 원망스러웠고 그리고 기도하고 싶었다.
어디 계시나이까? 깨어나소서… 일어나주소서…

사바세계의 헤롯

〈사바하〉는 기독교적인 세계관과 불교적인 세계관이 섞여 있다.
전작(〈검은 사제들〉) 때문인지 작가인 나의 종교관 때문인지
불교를 이해하면 할수록 미궁으로 빠져들었다.
불교는 절대선과 절대악이라는 관념이 희미하다. 불교의 기원인
힌두교에서는 신들이 이해할 수 없을 정도로 잔인하고 동시에
자비롭다. 사람을 잡아먹기도 하고 재앙을 내리기도 하며, 동시에
부모처럼 중생들을 품기도 한다. 즉 영화의 중심인 김제석과
그것(금화의 언니)이 이 선과 악의 희미한 경계선 상에 놓인
인물들이다.
뱀이 개구리를 잡아먹는 장면을 우리는 TV에서 많이 본다.
그것은 자연이다. 다르게 말하면 신의 섭리일 것이다. 사자에게
잡아먹히는 사슴을 보면서 불쌍하다고 생각하는 것 또한 그저
미물의 편협한 시각이 아닐까? 다행히 불교에서 유일하게 악,
즉 부정(不正)스럽게 여기는 것이 바로 '포식자'라는 단어이다.
〈사바하〉는 이 포식자라는 단어가 없었다면 만들 수 없었을

것이다. 인간 한계로부터 생겨나는 욕망과 집착으로, 이 자연의 섭리에서 벗어나 '더 먹고 더 가지는 것'.

김제석은 사바세계의 바이러스이다. 그것은 백신이다.

그 바이러스에게만 통하는 치료제인 것이다.

가장 큰 문제는 이 백신이 그 바이러스를 퇴치하는 과정 중에 생겨나더라. 왜 그 과정 중에 불필요한 희생이 생겨나야만 하는가? 〈트랜스포머〉의 로봇들이 나쁜 로봇을 없애는 것은 고마운데, 건물들은 왜 부서지고 그곳의 사람들은 왜 다쳐야만 하는가? 예수의 탄생은 너무 기쁜데… 왜 베들레헴의 아이들이 희생되어야만 했는가?

이해할 수가 없었고, 그저 원망스러웠다. 난 답을 찾을 수 있을 만큼 영적이지 못하고 영리하지도 못하다. 그저 하늘에 대고 소리치고, 때론 무기력하게 기도할 뿐이다.

P.S.

〈사바하〉를 쓰고 만드는 동안 함께해주신 모든 배우들과 스태프들에게 진심으로 감사합니다.

언제나 저의 편에서 힘이 되어주시는 가족들과 아내 정연희 그리고 촬영 중에 태어난 아들 장정진. 마지막으로 다소 무기력해 보이시지만 사랑의 하나님에게… 부족하지만 이 작품을 바칩니다.

메헴~ 메헴~ 암전에서 들려오는 염소 울음소리.

Prologue. 금화 출생 몽타주

화면 가득 보이는 금화(16세)의 얼굴. 바람에 잔머리를 흩날리며, 멀리
어딘가를 주시하고 있다.

금화 (V.O)
내가 태어나는 날에도 염소들이 미친 듯이 울어댔다.

cut to 1999년 봄
염소의 누런 눈. 수십 마리의 염소들이 발광한 듯 분주하게 움직인다.

금화 (V.O)
메헴~ 메헴~ 그날... 우리 집에 나와 같이 귀신이 태어났다.

염소들 너머, 한 남자가 허름한 집으로 다급하게 뛰어 들어간다.

금화 (V.O)
엄마 뱃속에서 내 다리를 파먹으며 살다가,
나보다 7분 먼저 나온 그것은... 사람이 아니었다.

자궁 안에서 머리를 반대로 웅크리고 있는 쌍둥이 태아의 모습.
그중 기이하게 생긴 하나가 다른 하나의 다리를 씹어 먹는다.

금화 (V.O)

사람들은 말했다. 그때, 그냥 그것이 죽었어야 한다고...

방에 모여 있는 가족들. 그 뒤로 뛰어 들어오는 금화의 아버지.
늙은 의사가 애를 받고 있다. 응애~ 응애~ 한쪽 다리에 피를 흘리는
아기가 건강한 울음을 터트린다.

노의사

하아... 다행이래... 다리만 쫌 그래도... 둘째는 멀쩡하다만...

하지만 겁에 질려 있는 가족들의 얼굴.
의사 너머 구석. 신문지에 싸여 있는 무언가. 살짝 보이는 검은 털의
다리와 여러 개의 손가락.
땀에 흠뻑 젖은 노의사는 침착하려 애쓰며 말한다.

노의사

금방 죽는다. 저런 거는... 오래 못 살아...

신문지 속에서 꿈틀거리는 그것. 겁에 질린 금화의 아버지와 어머니의
창백한 얼굴.

금화 (V.O)

엄마는 우릴 낳고 일주일 있다가 죽었고,
아빠는 한 달 뒤에 교통사고로 죽었다고,
중학교 올라갈 때 할배가 솔직하게 말해줬다.

나무에 목을 매고 흔들거리는 금화의 아버지.

금화 (V.O)
그리고 의사의 말은 틀렸다.

1. 금화의 집 앞. 낮

다시 보이는 열여섯 살 금화의 얼굴.

금화 (V.O)
그것은 그리 빨리 죽지 않았다. 아직까지도...

뒤로 보이는 외딴 금화의 집. 산 아래 으스스한 큰 나무가 있는
폐쇄적인 집이다.
멀리 아래를 주시하던 금화. 천천히 고개를 들어 하늘을 올려다보자,
기이한 모양으로 날고 있는 수십 마리의 새 떼. 어디선가 들려오는
살풀이 소리. 카메라 천천히 tilt down. 멀리 아랫마을 가운데 커다란
축사. 주문 소리와 악기 소리가 점점 거세게 들려온다.

2. 축사 앞. 낮

살풀이 소리가 새어나오는 커다란 축사 앞. 여러 고급차들 가운데
'강원축산병원'이라고 적힌 트럭이 보이고, 그 옆에서 젊은 수의사가
초조하게 담배를 피우고 있다.

3. 축사 안. 낮

악기를 연주하며 격렬하게 진언을 외우고 있는 검은 옷의 법사들과
축사 주인.
가운데에서 고급스러운 한복을 입은 제천무당(여. 50대)이 음산하게
살풀이를 하고 있다.
그 너머, 수십 마리의 쓰러져 있는 소들. 신음을 하며 입김을 내뿜고 있다.
제천무당은 소 울음소리를 내며 열심히 칼부림하지만, 마지막 버티던
소마저 푹! 하고 쓰러진다.
진언을 멈추는 법사들. 지친 표정으로 가만히 서 있는 제천무당의
눈치를 본다.
칼을 바닥에 던지고, 쓰러져 있는 소들 가운데로 천천히 걸어가는
제천무당.
그때 축사 밖으로 보이는 하늘 위의 새들. 그리고 그 아래 금화의 집.
어느새 제천무당 옆으로 다가온 축사 주인.

축사 주인
얼마 전에 이사 온 집인데요... 개장수 한다고 그러더라고요.
사람들이 얼굴도 잘 안 보이고... 이상해요.

제천무당
이사 온 지 얼마나 됐는데?

축사 주인
한 달 정도요.

제천무당

소들은 언제부터 지랄했다고?

축사 주인

한... 3주 됐지요.

4. 축사 앞. 낮

드르륵~ 축사 문을 열고 비장하게 걸어 나오는 제천무당과 그 일행들.

5. 금화의 집 앞. 낮

아랫마을을 주시하던 금화. 갑자기 절뚝거리며 집으로 뛰어간다.

6. 금화의 집 안_ 거실. 낮

금화

(집으로 들어오며)

할아버지, 사람들이 와요!

금화의 할아버지와 할머니는 서둘러 창문을 닫고 커튼을 치기 시작한다.
거실 문을 잠그고 돌아서서 가만히 집 안을 둘러보는 금화.
곳곳에 걸려 있는 십자가와 수상한 분위기의 집 안. 구석에 몸을 숨기고 있는 할아버지와 할머니.

쾅! 쾅! 쾅! 정적을 깨는 문 두드리는 소리. 태연하게 가만히 있는
금화의 가족. 쾅! 쾅! 쾅! 쾅!

할아버지는 창문 옆에 숨어 커튼 사이로 밖을 훔쳐본다.

모여서 웅성거리고 있는 무당 일행들.

7. 금화의 집 앞. 낮

쾅! 쾅! 쾅! 다시 문을 두드리는 제천무당. 대답이 없자 옆 창문으로
다가가 집 안을 훔쳐본다.

커튼 사이, 찬장 유리에 반사되어 보이는 금화.

8. 금화의 집 안_ 거실. 낮

밖에서 개 짖는 소리가 들려온다. 숨죽이며 가만히 있는 금화의 가족.

거실 문을 등지고 있는 금화. 부엌 구석에 살짝 보이는 뒷문을 바라본다.

십자가가 걸려 있는 수상한 뒷문.

박 목사 (V.O)

세상의 악은... 그리 특별한 것이 아닙니다. 가짜들...

9. 총신대학교 강의실. 오후

프로젝터로 보이는 여러 사이비 종교와 교주들의 사진.

박 목사 (V.O)

~지금까지 본 이 거짓 선지자들에 의한 사이비 이단 사건만,
매해 1,200건에 달하고, 그 피해자만 해도 5만 명이 넘습니다~

어두운 교실에 빼곡히 앉아 있는 학생들. 그 너머로 계속 들려오는
박 목사의 목소리.

박 목사

~종교의 자유가 지나치게 잘 보장된 대한민국에서...
국내 유일 저희 연구소가 이 영적 전쟁의 선봉에 서 있습니다.
여러분들의 많~은 관심이 필요합니다.
오늘 저를 이렇게 특강으로 불러주신 총신대 김태식 목사님께
감사드리며... 마지막으로 가장 중요한...

파워포인트의 마지막 페이지를 넘기자, '극동종교문제연구소 후원
계좌'가 나온다.
교실 구석, 나이 지긋한 목사. 한숨을 쉬며 난처한 표정.
환한 곳으로 얼굴을 드러내는 박 목사. 간절한 표정으로 계속 말한다.

박 목사

~후원... 아니요... 여러분들의 믿음이 필요합니다.
골고다의 언덕을 홀로 오르시던 예수님의 마음을 아십니까?

...저희 연구소는 수많은 어려움 가운데,
하나님의 일을 한다는 그 사명 하나로~

맨 앞줄 여학생 두 명이 초롱초롱하게 박 목사를 올려본다.
세련되고 지적인 외모의 박 목사.

10. 극동종교문제연구소 앞. 오후

길가에 멈추는 구형 BMW. 차에서 내리는 박 목사.

cut to

번잡한 을지로 상가 앞. 박 목사를 비난하는 종교인들의 시위 현장.
중년의 수녀 한 명이 몰래 지나가는 박 목사를 발견한다.

수녀

박웅재다!

순간 찬송가를 멈추고, 일제히 뒤를 돌아보는 종교인들.
그리고 사무실로 뛰기 시작하는 박 목사.
여러 명의 수녀와 중년 여성들이 도망치는 박 목사에게 계란을 던진다.

11. 극동종교문제연구소. 오후

허름한 사무실 안. 무심히 업무를 보고 있는 심술궂게 생긴 심 권사

(여. 50대).

박 목사

(문을 열고 들어오며)

하오... 계란 값이 얼마나 올랐는데... 먹는 걸 던져...

심 권사

(수건을 주며)

그러니까 건드리지 말라고 했잖아요. 아가페 수녀원 빡세다니까...

박 목사

(수건으로 코트를 닦으며)

아이씨... 내 버버리... 쯧...

심 권사

우리 목사님 인기가 날이 갈수록 죽~죽~ 올라갑니다.

박 목사

그래도 이번에는... 여성 팬들이네.

심 권사

팬클럽에서 선물도 보냈어요.

구석에 놓인 작은 크리스마스트리. 나무 가운데에 돈뭉치를 물고 있는 박 목사의 캐리커처.
어이없는 표정으로 심 권사를 보는 박 목사.

심 권사

실물보단 낫네. 뭐...

12. 박 목사의 사무실. 저녁

Insert 복잡한 을지로 상가들 사이로 보이는 허름한 극동종교문제연구소.
자욱한 담배 연기. 벽에 빼곡히 붙어 있는 기독교와 천주교 사이비
사건 자료들.
짧게 타고 있는 담배를 손에 들고, 안경 너머 음흉한 눈으로 노트북을
보고 있는 박 목사.
노트북 속 사진에는 낡은 건물에 새겨진 묘한 느낌의 사슴 그림이 보인다.
그때 사무실로 들어오는 심 권사. 담배 연기가 짜증 나는 듯 창문을 연다.

심 권사

난방비가 50이나 나왔는데... 환기를 안 할 수도 없고...
요즘 그 흔해 빠졌다는 공기청정기~ 공기청정기~
내가 노래를 불렀...

박 목사

권사님... 감리교단에서 아직 진행비 입금 안 했지요?

심 권사

목사님이 기사를 빨리 써야 입금하시겠죠? 맨날 일만 벌려놓고~

계속되는 심 권사의 잔소리에 감정을 억누르며, 짐을 챙기는 박 목사.

박 목사

제가... 숨~을 못 쉬겠어요. 숨~을... 강원도에 좀 다녀와야겠어요.

심 권사

그 사슴동산 때문에 가시는 거예요?

박 목사

아님 제가 혼자 휴가 갑니까...

심 권사

또 일 벌리시네... 빨리 모세재림교 기사를 먼저 마무리하시고...

박 목사

차근차근 합시다. 거기 지금 질러봐야 교단에서 고소도 못해요~

심 권사

그럼 아가페 수녀회 건은요?

코트를 입고, 그 위에 가방을 메며 말하는 박 목사.

박 목사

그건 업로드 해놨으니깐 내일 가톨릭신문사에 보내세요. 제목은...

심 권사

...

박 목사

...암 고치는 검은 수녀들!

심 권사

...

박 목사

아니... 마지막에 느낌표로 하지 말고 물음표로 가죠. 물음표.

심 권사

싸다... 싸.

박 목사

상업적인 거지...

심 권사

여튼 빨리 와서 밀린 칼럼이랑 기사 마무리를 해줘야...

박 목사

심 권사님... 저~기 불교 쪽은요~ 액수 단위가 달라요.
우리 올겨울, 휴가! 푸켓으로 한번 갑시다. 그리고... 공기청정기.

심 권사

흠... 아멘!

박 목사

아~멘!

13. 영동고속도로. 밤

한적한 영동고속도로를 달리는 박 목사의 BMW.
박 목사는 피우던 담배꽁초를 밖에다 던지고 창문을 닫는다.
앞에 보이는 이정표. '어서 오세요. 여기서부터 강원도입니다'
점점 안개가 짙어진다.

14. 태백 사슴동산_ 법당. 밤

Insert 조용한 태백의 구시장. 낡은 상가건물 4층에 보이는 불교풍의
사슴 그림.
오래된 나무 바닥의 고즈넉한 법당. 한쪽 벽에 크게 그려져 있는
탱화와 천장의 연등들. 난로 주변에 옹기종기 앉아 있는 십여 명의
신도들. 인자한 표정으로 연꽃을 들어 올리며 설법하는,

연화보살

보세요. 이 꽃이 무엇이지요?

신도들

연꽃요.

연화보살

네... 연꽃은 아주 고귀합니다.

진흙이나 흙탕물에 자라지만 결코 더러움에 물들지 않는

아름다운 꽃입니다. 여러분... 세상은 진흙입니다.

그리고 점점 더 흉폭하고 더러워지고~

연화보살(50대)의 설법이 이어지고, 진지한 신도들 사이에 보이는
고요셉(20대 중반).

cut to

연화보살

자 그럼... 오늘은 지난번 진주에서 난 태풍 피해자들을 위해

기도를 올리며 마무리 하겠습니다.

고요셉 / 신도들

장군님이 지켜주십니다. 감사합니다. 사랑합니다.

15. 태백 사슴동산 앞. 밤

사슴동산의 건물 쪽문에서 나오는 신도들. 서로 인사하며 헤어진다.
그 사이 보이는 요셉. 옷깃을 여미며 길 건너 편의점으로 들어간다.

16. 편의점. 밤

컵라면에 물을 담아 창가 테이블로 오는 요셉. 옆에 핫도그를 먹으며 서 있는 박 목사.

박 목사

밥은 좀 제대로 먹고 다니지 너는... 참...

고요셉

진행비나 좀 넉넉하게 주시지... 참...

박 목사

그래서 왔잖아 내가... 우리 고 전도사님 힘들까 봐...

고요셉

맨날 말만...

박 목사

그나저나 뭐 건더기가 없어... 보낸 게 그게 다야?

고요셉

그게 다예요.

박 목사

그래도 촉이 있을 거 아니야. 일 한두 번 한 것도 아닌데...

고요셉

...하나 이상한 건...

박 목사

...

고요셉

이상한 게 없다는 거죠.

박 목사

아이씨... 쯧... 그럼 교리 쪽은 좀 어때? 동학 쪽이야?

고요셉

아니요.

박 목사

단군?

고요셉

그런 거 아니고요. 생각보단 클래식해요.
불교에서 밀교 쪽 색채가 좀 강하긴 한데... 깨끗해요.
헌금도 안 거두고... 오히려 어려운 신도들한테 보시까지 준다니까요.

박 목사

야... 그럼 네트워크잖아... 다단계...

고요셉

아이... 그런 거 아니라니까요.

박 목사

생각을 해봐.
신흥종교가 간음, 돈세탁 그리고 네트워크 말고 뭐가 있냐? ...웅?

고요셉

근데 좀 색다른 건... 불교에서 원래... 부처나 보살을 모시잖아요?

박 목사

그렇지...

고요셉

근데 여기는... 장군님을 모셔요. 두 군데 다...

박 목사

아니~ 그런 거 말고~ 좀 자극적인 게 있어야 돼. 좀 쎈 거~ 쯧...
(한숨을 쉬며 가만히 고민하는)
일단 총본 스님들한테는 내가 대충 시나리오 만들어볼 테니깐...
좀 더 딥하게 들어가자. 후킹 있는 걸로... 털면 무조건 나온다...
우리 이번에 잘해야 돼. 고 전도사...

고요셉

...

박 목사

이 불교란 세계가 말이야. 완~전 노다지야.
지가 부처라고 하면 그냥 부천 거야. 교리가 그렇거든...
그러니깐... 응? 우리 연구소가 얼마나 할 일이 많겠냐...

요셉의 라면 국물을 뺏어 마시는 박 목사. 음흉하게 웃는다. 그 위에
들리는 천둥소리. 쿠구궁~

17. 영월 근방 굴다리. 아침

쏟아지는 비. 시골 기찻길 밑 터널에 모여 있는 경찰차들과 앰뷸런스.
그 너머 터널 입구에 충돌한 덤프트럭이 보인다.
구경하는 동네 사람들 뒤로 도착하는 황 반장(50대)의 경찰차.

황 반장

차 사고 하나 가지고 왜 다 지랄들이니...

우산을 가져와 황 반장에게 다가가는 조 형사(30대).

조 형사

기사가 술도 덜 깨고 가다가 저기 들이받았는데요...

현장 앞에 갑자기 놀라 멈춰 서는 황 반장.
트럭이 충돌하여 부서진 터널 입구의 콘크리트 벽.
그 속에 살짝 보이는 오래된 사체의 손.

조 형사

몇 년은 된 거 같더라고요.

황 반장

하... 뭐냐 이거...

사체의 손을 자세히 보는 황 반장.
어느 정도 부패된 손과 새까맣고 뾰족한 손톱.

황 반장

공사한 지 얼마 안 돼 보이는데...

조 형사

네. 어렵진 않겠어요. 건설 업체 줄 타고 넘어가면 뭐...

황 반장

근데... 손이 작다... 끽해야 중학생인데...

사체의 손등을 빠르게 지나가는 지네 한 마리.
모여든 사람들 너머로 보이는 금화 할아버지의 트럭.
보조석에 교복을 입은 무표정의 금화. 트럭은 유유히 현장에서 사라진다.

18. 대한불교사단법인_ 총무원장실. 낮

Insert 먹구름과 쏟아지는 비. 커다란 산들을 뒤로하고 있는 웅장한

대한불교사단법인 건물.

박 목사 (V.O)

~올 초 신천지 강원도 본부를 조사하다가,
운 좋게 옆 건물에서 발견된 불교계 신흥종교입니다~

고풍스러운 총무원장실. 커다란 LED TV로 사슴동산에 대하여
설명하고 있는 박 목사.
무표정으로 설명을 듣고 있는 원장스님(70대)과 깐깐한 눈빛에
유독 머리가 큰 총무스님(50대). 그리고 안경을 쓴 지적인 느낌의
해안스님(50대).

박 목사

~태백, 정선 이렇게 두 군데로...
아직 신도 수가 총 50명이 채 되진 않습니다.
대부분이 공무원들이나 교사 그리고 간호사들이고...

원장스님

소장님... 저런 포교당은
강원도하고, 전국에 아마 3천 개가 넘을 겁니다.
보니 크게 문제 될 게 없어 보이는데, 괜히...

박 목사

잠시만요, 원장스님. 잠시만요... 정말 꺼림칙한 게 뭔지 아십니까?

원장스님

...

박 목사

여기 사슴동산이란 곳은 신도들에게
아무런 영리를 취하고 있지 않다는 겁니다.
심지어... 위로금같이 돈도 풀고 있어요.

원장스님

그게 왜 꺼림칙한 거지요?

원장스님의 말에 능청스럽게 웃는 박 목사. 그를 이상하게 바라보는
스님들.

박 목사

세상에... 이유 없는 돈도 없고 이유 없는 종교도 없습니다. 다들...
일본의 옴진리교라고 잘 아시죠? 지하철 가스 테러한 친구들...

스님들

...

박 목사

처음에는 뭐로 시작한지 아십니까?

스님들

...

박 목사

바로... 요가 단체입니다.

그렇게 여러 후원을 하다가 나중에 어떻게 됐나요?

때가 되니까 교주 아사하라 쇼코가 슬슬 불교를 뒤에 업고

자기가 부처다, 내가 신이다. 마지막엔 뻔~한 거 아닙니까?

스님들

...

박 목사

종~말입니다. 종말.

다~ 내놓고 천국 가자는 거지요. 그때는 이미 늦습니다.

미리 범법 행위나 교리적 모순을 찾아서 제재를 가하지 않으면,

또 괜히 여기 한불사단법인과 부처님 얼굴에 똥칠하는...

(냉랭한 스님들의 표정을 보고)

아무튼... 가짜를 빨리 찾아내자는 거지요.

총무스님

원장스님, 제가 첨언을 좀 해도 되겠습니까?

원장스님

말씀하세요, 총무스님.

총무스님

박웅재 목사님, 얘기 잘 들었습니다. 제가 보기엔

신흥종교라기보다는 사교단체나 복지단체 역할을 하는

작은 선원 같은데...

박 목사는 불만스러운 표정으로 다리를 꼰다.

총무스님

잘 모르시겠지만 저희 불교의 근본은 상생입니다.
아함경에서 보면, 이것이 존재하기에 저것이 존재하고...

박 목사

총무스님, 제가... 이 일을 십 년 넘게 하고 있습니다.
요즘 개신교와 가톨릭에서는 이런 종교 정화에 굉장히 신경을...

총무스님

들으세요. 그렇게 기독교식 이분법으로는 진리를 찾기 어렵...

원장스님

총무스님, 우리가 뭐 손해 볼 거는 없지 않나요?

총무스님

제 생각에는 후원금 때문에 더 오바 하시는 것 같아서...

해안스님

얼마 전 충주 포교당에서 불상이랑 위패 팔다가
〈추적 60분〉에 나온 것도 있지 않습니까?
미리 단속하면 나쁠 건 없을 것 같습니다.

고개를 끄덕이는 원장스님.
작은 웃음으로 총무스님에게 합장하는 박 목사. 총무스님 무표정으로
합장을 받는다.

19. 대한불교사단법인_ 복도. 낮

조용한 복도에서 박 목사를 배웅해주는 해안스님. 서로 조용히 얘기한다.

박 목사
저 문어 대가리 날 왜 이렇게 싫어하냐.

해안스님
선배... 장사 냄새가 너~무 나요.

박 목사
어허... 장사라니.

해안스님
총무스님이 돈줄이에요. 좀 빨아줘야 합니다...

박 목사
하... 진짜 좋은 일 좀 쉽게 하자.

해안스님
참 아까 그... 사슴동산이란 곳 자료 좀 줘봐요.

박 목사

그건 왜...

해안스님

뭔가 좀... 일단 좀 줘봐요. 그리고... 종교 3대 요소가 뭡니까?

박 목사

그거야 교주, 신도 그리고 경...전...

(씩 웃으며 해안스님을 가리킨다)

오호... 그렇지... 경전...

해안스님

신흥종교라면 분명 지들이 쓰는 경전이 있을 거예요.

자체적으로 해석하거나, 아니면 불인가 경전을 쓸 경우...

박 목사

너희 쪽 종단 집행부에서도 압력을 넣을 명분이 생긴다...

USB를 건네며 음흉하게 해안스님을 바라보는 박 목사.

20. 제천 주유소. 해질녘

한적한 주유소에 서 있는 낡은 SUV. '제천 오토정비'라고 적혀 있다.
주유소 직원이 기름을 넣고 있고, 운전석에 보이는 정비 점퍼를 입은
남자의 뒷모습(이하 나한).

뒤에서 빵~ 하고 울리는 클랙슨. 길 건너편에 멈춘 레커차 안에 정비공 두 명.

팀장

정 기사! 우리 한잔하러 가는데 같이 가든가!

나한

저는 괜찮습니다! 재밌게들 노세요!

팀장

그럴 줄 알았어.

떠나는 레커차를 웃으며 바라보는 나한.

21. 제천 근처 도로 1. 저녁

안개 자욱한 국도를 달리는 나한의 자동차.
선해 보이는 얼굴에 반해 차가운 무표정으로 운전을 하고 있는 나한.

22. 도계 국밥집. 저녁

한적한 읍내의 작은 국밥집. 혼자 앉아서 국밥을 먹고 있는 나한.
말없이 반찬을 더 가져다주는 국밥집 주인(이하 철진 모. 60대).

23. 도계 국밥집 앞. 밤

칼바람이 부는 조용한 국밥집 앞. 짐을 잔뜩 들고 가게 셔터를 내리고
있는 철진 모.
건너편 골목에서 철진 모를 보고 있는 나한.

24. 레미콘 공장. 밤

작업등을 환하게 켜놓고 야간작업 중인 레미콘 공장.
레미콘 차에서 촤~ 쏟아지는 시멘트. 운전석에 보이는 남자
김철진(30대).

cut to
철진은 장부에 사인을 하고 자신의 레미콘 차에 올라탄다.

25. 도계 연립아파트 앞. 밤

낡은 연립아파트가 있는 한적한 도로. 정적을 깨고 멈추는 철진의 레미콘.
철진은 차에서 내려 주변을 살피며 아파트로 들어간다.

26. 철진 모의 집 안. 밤

현관문을 열고 집으로 들어온 철진. 부엌으로 걸어간다.

철진 모

왜 이렇게 늦었니...

식탁에 앉아 고개를 숙인 채 밥을 먹고 있는 누군가. 나한이다.

철진 모

괜찮다. 이 총각이... 짐도 들어주고 집까지 차도 태워주드라.
한술 뜨고 가라고 했다.

굳어진 표정의 철진. 자신을 쳐다보지도 않고, 밥을 먹고 있는 나한을
바라본다.

27. 도계 연립아파트 옥상. 밤

어두운 옥상에 서 있는 나한과 철진.

나한

여기 숨어 있다고... 제가 못 찾을 줄 알았습니까?

철진

광목님이... 오실 거라 알고 있었습니다.

나한

그래도 오랜만에 이렇게 얼굴이라도 뵙네요.

철진을 바라보며 작게 웃어주는 나한. 그리고 그의 눈을 피하는,

철진

저는... 실패작입니다. 아버지를 끝까지 지키지 못하고...
용기가 없어 이렇게 숨었습니다.

나한

아니에요. 아니에요. 그냥... 음...
어머님의 따뜻한 밥이... 지국님을 약하게 만들 만도 합니다.

일그러지는 철진의 얼굴.

철진

흐흐흑... 겁이 났어요. 매일 밤 그들이... 악귀들이 몰려옵니다.

나한

...!

철진

광목님, 이상합니다... 뭔가... 잘못되고 있는 거예요...

겁먹은 철진을 차가운 표정으로 바라보는 나한. 담담하게 말한다.

나한

저희는 악과 싸우고 있습니다. 그리고 하늘의 일을 하고 있습니다.
두려움도 그 어떤 미련도 없어야 합니다.

철진

...

나한

증장님도 다문님을 이어 열반하신 걸 알고 계시죠?

철진

...네...

나한

죽으십시오. ...곧 세상이 지국님을 찾을 겁니다.

고개를 숙이며 대답하지 못하는 철진.

나한

그리고 지국님의 전업은 제가 가지고 가겠습니다.

고개 숙인 철진 위로 들리는 나한의 늠름한 목소리.

나한

피에 젖은 짐승이여 눈물을 그쳐라. 고개를 들어 등불을 보아라~

같이

무릎을 꿇어라. 눈물을 닦고 진리의 여래를 보아라.
고통은 믿음의 열매이니 고통은 피를 순결케 하고,
그 피가 세상을 환하게 밝힐 것이라.

두려워하시 마라, 어두운 짐승들아~

어두운 하늘에 가득한 별. 그 위로 작고 담담하게 들려오는 그들의
목소리.

28. 금화의 집_ 할머니 방. 밤

Insert 어두운 밤. 안개 속에 보이는 금화의 집. 찬송가 소리가 작게
들려온다.
성경책을 보며 미친 듯이 찬송가를 부르고 있는 금화의 할머니.

할머니

~죄악을 속하여주신 주 내 속에 들어와 계시네 십자가 앞에서~

29. 금화의 집_ 금화의 방. 밤

할머니의 찬송 소리가 작게 들려오는 금화의 방. 벽에 붙어 있는 여자
아이돌 사진들.
금화는 누워서 핸드폰으로 채팅을 하고 있다.

금화 (문자)

곧 갈 거라니까. 정말이야.

남고딩 (문자)

ㅋㅋ 오면 내가 재워줄게. 근데 서울 와보기는 했냐?

금화 (문자)

ㅇㅇ 가봤지. 에버랜드.

남고딩 (문자)

거기가 서울이냐? 병신아.

금화 (문자)

ㅋㅋ 근데 나 병신인데 정말.

남고딩 (문자)

사진 ㄱㄱ

핸드폰으로 셀카를 준비하는 금화. 일부러 어깨의 옷을 내려 야하게
사진을 찍는다.
그때 철컥철컥. 금화의 방문을 열려고 하는 누군가. 문이 잠겨 있자
문을 두드린다.
핸드폰을 베개 밑에 넣고 서둘러 문을 여는 금화. 문밖에 서 있는 할머니.

할머니

문을 자꾸 왜 잠가?

금화

무서워서요.

할머니

...밥 챘나?

금화

...

할머니

밥 챘냐고!

금화

아니요.

할머니

언능 밥 갖다놔.

30. 금화의 집_ 부엌. 밤

큰 그릇에 음식물 쓰레기를 담는 금화. 다시 들려오는 할머니의 찬송 소리.

cut to
그릇을 들고 뒷문에 걸린 십자가를 노려보고 서 있는 금화. 잠시 후 문을 열고 나간다.

31. 금화의 집_ 뒷마당. 밤

앙상한 큰 나무 아래 녹슨 슬레이트로 둘러싸인 폐쇄적인 뒷마당.
수십 개의 작은 철창 속에 있는 개들. 금화가 나타나자 움직이기
시작한다.
천천히 구석으로 걸어가는 금화. 개 철창 사이 뒤편에 살짝 보이기
시작하는 작은 헛간.
그곳에서 들려오는 기이한 소리. 어린아이의 울음소리다.
천천히 헛간으로 다가가는 금화. 개들의 움직임은 더 거칠어진다.
자물쇠로 잠겨 있는 낡은 헛간 철문. 점점 더 선명하게 들리는 울음소리.
멈춰 선 금화. 빠르게 다가가 문 앞에 밥그릇을 놔두고 달려 돌아온다.
어느 정도 떨어져서 헛간을 바라보는 금화. 차가운 표정으로 노려본다.
그 위에 계속 들리는 기이한 울음소리.

32. 영월경찰서 강력계. 낮

기자 (TV)
~사체는 2년 전 실종됐던 동강여자중학교 1학년 이모 학생으로~

터널 사체 사건 관련 뉴스를 보고 있는 황 반장과 형사들.
그때 사무실 문을 열고 뛰어 들어오는 조 형사.

조 형사
반장님! 공사 업체 연락 왔습니다!

황 반장

뭐래?

조 형사

그때 혼자 보수 공사 진행한 사람이 있었대요.

황 반장

...주소는!

조 형사는 수첩을 흔들며 웃는다.

33. 태백 사슴동산_ 법당. 오후

Insert 비가 쏟아지는 태백의 사슴동산.
소박하게 모여 있는 신도들. 침착하게 설법을 하고 있는 연화보살.

연화보살

~저희는 순결한 사슴들입니다.
세상에는 선을 노리는 악들이 분명 존재합니다. 얼마 전...
우리 서지영 제자님의 어머님께서 교통사고를 당하신 거, 또~

신도들 중에 눈시울이 붉어진 중년 여성은 연화보살의 말에 집중한다.

연화보살

저기 계시는 김지현 제자님의 남편분이 사고를 당하신 거.

만약, 그 음주운전 가해자와 나태한 공사 현장 관리자.
그들이 태어나지 않았다면 그런 일은 없었을 것입니다.
세상의 빛과 어둠은 서로~

손을 마주 잡은 신도들 사이에 보이는 요셉. 무릎 옆에 핸드폰을
켜놓고 있다.

34. 태백 사슴동산 앞. 오후

비가 내리는 한적한 상가 앞에 서 있는 박 목사의 자동차.
차 안에서 핸드폰으로 들려오는 연화보살의 목소리를 녹음하고 있는
박 목사.

연화보살 (V.O)
~이번엔 경전의 마지막에 있는 항마경을 공부해보겠습니다~

35. 태백 사슴동산_ 법당. 오후

연화보살
죄송합니다. 사슴동산의 경전은 신서로서, 네 권밖에 존재하지 않고,
더이상 만들지 않는 것을 방침으로 하고 있습니다~

요셉은 화장실이 급한 표정으로 조용히 자리에서 일어나 법당을 나간다.

36. 태백 사슴동산_ 복도. 오후

법당에서 나온 요셉. 주변을 경계하며 조용히 사무실 문을 열고 들어간다.

37. 태백 사슴동산_ 사무실. 오후

불교 서적과 서류들이 가득한 사무실. 요셉은 서류들과 책들을
꺼내보며 경전을 찾는다.

38. 태백 사슴동산 앞. 오후

차 안에서 커피를 마시며 담배를 피우고 있는 박 목사. 계속 들리는
연화보살의 목소리.

연화보살 (핸드폰)
~항마경에서는 암시합니다, 이 땅에는 탁한 기운을 가진 마군들이
81개가 태어난다고 예언되었습니다.
선한 기운을 위협하는~

박 목사
(81마군을 메모하며)
얼씨구 장르 나오고...

그때 갑자기 박 목사 차 옆을 지나가는 경찰차들. 사슴동산 건물

입구에 멈춘다.

건물 안으로 뛰어 들어가는 경찰들. 황 반장은 차에서 내려 담배에 불을 붙이고, 주변을 살핀다.

39. 태백 사슴동산_ 복도. 오후

사슴동산 안으로 들어오는 경찰들과 조 형사.

놀란 연화보살과 신도들이 법당에서 몰려나온다.

조 형사

김철진이라는 사람 여기 있습니까?

연화보살

네? 무슨 일이세요?

연화보살과 그 뒤의 신도들을 둘러보는 조 형사.

조 형사

동강여중 터널 사건 용의자를 찾고 있습니다.

이름은 김철진이고, 주소가 여기로... 되어 있긴 한데...

놀라서 수군거리는 신도들. 조 형사의 영장을 확인하는,

연화보살

잘못 오신 것 같아요. 여기는 그냥... 법당입니다.

조 형사

네에... 그래 보이기는 하는데... 흠...

(한숨. 옆의 경찰들에게)

일단 여기 있는 사람들 신분증 검사 다 하고 안에 좀 살펴봐라.

아니 그냥 신분증 검사만 해. 쯧...

조 형사는 힘없이 돌아 나가며, 뒤쪽에 서 있는 황 반장에게 고개를
갸우뚱한다.

40. 태백 사슴동산 앞. 오후

사슴동산의 입구에 비를 피해 서 있는 황 반장과 조 형사.

조 형사

그냥 대포 주소 같은데요...

황 반장

난 딱 보고 알았다... 쯧...

핸드폰이 울리자, 받으며 옆으로 가는 조 형사. 그를 지나쳐
황 반장에게 접근하는 박 목사.
담배를 피우려고 하는 황 반장에게 불을 붙여준다.

박 목사

고생 많으십니다~

황 반장

(박 목사를 흘기며)

누구...

박 목사

(명함을 건네며)

제가 지금 여기 포교당 조사하고 있는...

황 반장

(명함을 보며)

네~ ...아! 그 극동방송에서 본 거 같은데... 실물이 좋으시네요...

박 목사

허허허. 감사합니다. 근데... 무슨 일이시죠?

그때 황 반장에게 달려와 귓속말하는,

조 형사

반장님... 김철진이 모친 주소 확보했답니다.

황 반장

이번엔 확실한 거지?

고개를 끄덕이는 조 형사. 경찰들에게 출동 명령하며 차로 뛰어간다.

뭐... 혹시 여기 무슨 일 있으면... 연락주세요, 목사님.

박 목사에게 명함을 준 뒤, 뛰어가는 황 반장. 그리고 수첩에
'김철진?'이라고 메모하는 박 목사.

41. 레미콘 공장. 밤

아무도 없는 어두운 레미콘 공장. 덩그러니 서 있는 철진의 레미콘.
차 안에서 고개를 숙인 채 뭔가를 고민하고 있는 철진.
그때 차 앞에 쌓여 있는 자갈 더미에서 촤르르~ 자갈이 굴러가는
소리가 작게 들린다.
동시에 차 밖에서 들리기 시작하는 이상한 소리. 순간 철진의 입에서
입김이 나온다.

철진
하... 하...

차 밖에서 들리는 어린아이들의 울음소리. 그리고 계속 흘러내리는
자갈 더미들.
입김을 내뱉으며 거칠게 호흡하는 철진. 두려움에 떨며 차의 시동을 건다.
끼기긱~ 하지만 잘 걸리지 않는 시동. 손을 떨며 다시 열쇠를 돌리는
철진. 끼기긱~
아이들의 울음소리가 소름끼치게 계속 들려오고,
흘러내리는 자갈 속에서 뭔가가 보이기 시작한다.

검은 자갈 속 곳곳에 보이는 여자아이들의 허연 얼굴.

철진

끄아...

마침내 부르릉~ 걸리는 시동과 팍! 하고 켜지는 라이트.
앞에 쌓여 있는 시커먼 자갈 더미. 고요하다.
거친 숨을 내뱉으며 고통스러워하는 철진.

42. 강원 금강대학교_ 해안스님 교수실 / 태백 사슴동산. 밤

Insert 불교풍의 금강대학교 교수관 건물.

해안스님 (V.O)

이 사슴동산이란 곳... 태백이랑 정선에만 있는 게 아니었어요.

만다라 그림이 가득한 해안스님의 교수실.
해안스님과 노트북을 보고 있는 박 목사.

박 목사

뭐? 그럼 다른 곳에 또 있다는 말이야?

해안스님

자 보세요. 여기는 제천... 그리고 여기는 단양. 두 곳이 더 있었어요.
같은 그림이죠? 여기 법당 안 사진도 있고...

박 목사

맞네... 근데 몇 군데가 더 있다는 걸 어떻게 알았어?

해안스님

왜냐하면... 딱 두 군데가 더 있어야 하니까요.

박 목사

...!

해안스님

여기 선배가 가지고 있던 태백의 장군 탱화를 보세요.
그리고 또 정선 법당의 탱화도...

박 목사

이게 왜...

해안스님

이거... 장군 아닙니다.

박 목사

아니면?

해안스님

동서남북을 상징하는... 사천지왕이에요.

박 목사

사천왕?

해안스님

네. 밀교 용어로 시방카. 사천왕. 그중에 두 개인 거죠.

/ 태백 사슴동산 앞

편의점 안에서 컵라면을 먹으며, 사슴동산의 입구를 주시하고 있는
박 목사와 요셉.
연화보살이 가방을 메고 나와 문을 닫고 퇴근한다.

cut to

편의점 테이블에 놓여 있는 먹다 만 컵라면.

/ 태백 사슴동산 복도

화면에 비춰지는 박 목사의 플래시.
어두운 사슴동산으로 들어와 플래시를 비추며 주변을 살피는
박 목사와 요셉.
박 목사는 조용한 법당 안으로 슬며시 들어간다.

해안스님 (V.O)

밑에 작게 보이는 건달파와 비사사,
그들을 거느리는 이 푸른 얼굴의 신.
그리고 손에는 비파를 들고 있죠?

/ 태백 사슴동산 법당

정면 벽에 크게 그려진 탱화가 푸른 달빛에 더 으스스하게 보인다.
푸른 얼굴에 무서운 눈빛을 한 지국천의 모습.

/ 해안스님 교수실

해안스님
동쪽을 지키는 지국천왕입니다. 그리고 여기 정선의 다문천왕.
귀신 야차와 나찰을 시종으로 하고, 왼손에는 보탑,
오른손에는 창을 들고 있어요. 북쪽을 담당하는 신이죠.

착~ 하고 책상에 지도를 펼치는 해안스님.

해안스님
여기 표시해놨어요. 태백의 지국천왕 동쪽. 정선 다문천왕 북쪽.
그래서 비슷하게 동서남북을 표시하면, 두 군데가 더 나오죠.

박 목사
서쪽의 제천. 남쪽의 단양.

해안스님
광목천왕과 증장천왕.

박 목사
호... 휘문고 83기 이정범이... 절밥 허투로 먹은 게 아닌데...

해안스님

요즘은 학식 먹습니다... 근데 선배...
이런 걸 메인으로 하는 신흥 단체... 보신 적 있으세요?

박 목사

아니... 처음이야.

43. 도계 도로. 밤

땀에 젖은 채, 겁먹은 표정으로 운전을 하는 철진의 옆모습.

해안스님 (V.O)

사천왕들은 인도에 존재하던 악신들입니다.

비가 그친 도로를 달리는 철진의 육중한 레미콘.

44. 해안스님 교수실_ 태백 사슴동산. 밤

박 목사

그럼... 악마란 말이네...

해안스님

문어스님이 말했잖아요. 불교는 그렇게 단순하지 않습니다.

박 목사

...

해안스님

사천왕들은 원래 힌두의 악신들이었는데, 부처님에게 투항해요.

박 목사

그래서...

/ 태백 사슴동산 법당

지옥의 악귀들을 밟고 있는 지국천의 모습에 플래시가 비춰진다.

해안스님 (V.O)

그래서 불교에 귀의한 뒤... 악귀들을 잡는 역할을 하게 됩니다.

박 목사

(지국천을 올려보며 작게)

악귀를 잡는 악신들이라...

지국천의 사나운 눈이 못마땅한 듯 돌아서는 박 목사. 그러다 갑자기 멈춰 선다. 그리고 플래시를 탱화에 비추며 빠르게 다가간다.

그림 속에 작게 보이는 틈. 박 목사가 천천히 틈을 만지며 따라가자, 구석에 보이는 문손잡이.

박 목사

요셉아...

박 목사의 옆으로 다가온 요셉. 그림 속에 숨겨진 작은 문을 확인한다.

조심스럽게 손잡이를 잡아당기는 박 목사. 철컥 하고 열리는 문.

플래시를 비추자 어두운 방이 나오고, 천천히 안으로 들어가는

박 목사와 요셉.

싸늘한 바닥에 누군가 머물렀던 이부자리. 그리고 그 옆에 놓여 있는

낡은 책 한 권.

요셉이 벽을 더듬어 형광등을 켜자, 사면이 불교 탱화로 그려진 작은

쪽방이 드러난다.

/ 태백 사슴동산 신장당

쪽방 가운데로 걸어가 경전을 집어 드는 박 목사. 그리고 천천히

사면의 탱화를 둘러본다.

짐승과 같은 악귀 지국천, 부처에 무릎을 꿇는 모습, 그리고 악귀를

잡는 모습. 마지막으로 천상으로 올라가 부처가 되는 지국천의 그림이

펼쳐져 있다.

씩~ 웃으며 놀란 표정의 요셉을 바라보는 박 목사.

박 목사

쯤... 나 왜 침이 고이냐...

45. 도계 연립아파트 앞. 밤

철진 모의 아파트가 있는 조용한 읍내 도로. 정적을 깨고 들어오는

철진의 레미콘.

시동이 꺼지고 차에서 내리는 철진. 축축한 도로를 건너간다.

그때 갑자기 멈춰 서는 철진. 건너편 차 안에서 나한이 철진을
바라보고 있다.
굳은 표정의 철진. 그리고 그런 철진을 무표정으로 응시하는 나한.

46. 철진 모의 집 안. 밤

식탁에 무표정으로 앉아 있는 철진 모. 식탁 위에 박카스 상자와 빈 병
몇 개가 놓여 있다.
그때 정적을 깨고 집 안에 들리는 무전기 소리.

무전기
도착했습니다. 용의자 올라갑니다.

식탁에 앉은 철진 모 너머로 황 반장과 조 형사 그리고 경찰들이
빽빽하게 들어차 있다.
그때 징~ 식탁 위 철진 모의 핸드폰이 울린다.
핸드폰을 확인하는 조 형사. 김철진이다.
황 반장을 바라보는 조 형사. 황 반장이 고개를 끄덕인다.
스피커폰으로 들리는 철진의 목소리와 그걸 듣고 있는 철진 모.

철진 (핸드폰)
어머니... 제가 하는 얘기 잘 들으세요.
누가 뭐라 하든 보이는 게 다가 아닙니다.
어머니의 아들은... 세상을 위해 악과 싸웠습니다.

어리둥절한 표정의 조 형사. 그 옆에 불안한 표정의 황 반장.

철진 (핸드폰)

하늘만은 제 노고를 알아주실 겁니다.

저는 축복받은 아들이었습니다.

천계에서 어머니... 꼭 안아드릴게요. 죄송합니다.

순간 갑자기 무전기를 들고 뛰쳐나가는 황 반장.

황 반장

옥상이야. 옥상!

집 안 곳곳에 숨어 있던 경찰들이 일제히 뛰어나온다.

47. 도계 연립아파트 옥상 / 나한의 차 안. 밤

옥상 난간에 홀로 서 있는 철진. 항마경을 조용히 읊조린다.

철진

여래의 미소 아래 마침내 짐승은 뱀의 전쟁에서 승리하니...

/ 나한의 차 안

나한

하늘만은 너희의 노고를 잊지 않을 것이라...

/ 도계 연립아파트 옥상

팍! 옥상 문을 열고 뛰쳐나오는 형사들.

조 형사

야! 김철진!

철진 / 나한

이제 짐승은 날개를 달고 다시 태어나리라.

옥상 밑을 내려다보는 철진. 아래로 뛰어내린다.
빠르게 떨어지던 철진, 순간 우둑~ 하고 목이 꺾이며 허공에 매달려진다.
아파트 밑으로 뛰어나온 황 반장. 목을 맨 채 죽어 있는 철진을 보고
얼어붙는다.

황 반장

하...

아파트 가운데 매달린 철진의 시체 주변으로 모여드는 경찰들.
그 너머로 유유히 지나가는 나한의 자동차.
아수라장을 뒤로하고, 담담한 표정으로 운전을 하는 나한의 얼굴.

〈F.O〉

48. 서울역 광장_ 실외/낮

성탄절을 앞둔 분주한 서울 도심의 풍경. 서울남대문경찰서 앞 서울역

광장.

고위직 경찰복을 입은 박은혜(40대)가 주변을 살피며 걸어온다.

광장에서 김철진 자살 관련 신문 기사를 보고 있는 박 목사.

박은혜

(서류봉투를 툭 던지며)

여기 김철진이 자료.

박 목사

(박은혜를 쳐다보지도 않고, 서류를 꺼내며)

아리가또 시스터... 어쩨 아줌마가 점점 이뻐져~

박은혜

이빨 까지 말고... 이제 이런 거 좀 부탁하지 말자.

박 목사

또또... 저번 시온그룹 사건 때 내가 도와준 건 기억 안 해?

다~ 서로 도와 가면서...

박은혜

야 지금 같은 연말에... 크리스마스에...

다들 엄청 예민...

박 목사

(서류를 보며)

알았어요... 알았어... 어? ...양주소년교도소?

박은혜

거기 김철진이... 청소년 살인수였던데...

말없이 서류에 집중하고 있는 박 목사. 그리고 지나가는 사람들을
바라보던,

박은혜

근데... 웅재야.

박 목사

(서류를 보며 대충)

음?

박은혜

...언제까지 이러고 다닐 거야?

박 목사

이러고 다닌다니?

박은혜

여기저기 쓰레기통이나 뒤지고 다니는 거...

박 목사

(서류를 보며 대충)

...

박은혜

(잠시 박 목사를 보다가, 벤치에서 일어서며)

으이구... 밥이나 잘 먹고 다녀!

박 목사는 침을 발라 서류를 넘기며, 경찰서로 돌아가는 누나를 힐끗 쳐다본다.

49. 강원교육청 / 차 안. 낮

하늘에 자욱한 먹구름. 쏟아지는 빗속에 보이는 강원교육청.
정장을 입고 정문에서 나오는 교육청 직원인 연화보살.
주차장을 둘러보다 우산을 쓰고 빠르게 걸어간다.
똑똑. 차 창문을 두드리는 연화보살. 조금 열리는 창문 사이로 보이는 나한.

연화보살

(서류를 건네며)

지국님께서 부탁하신 겁니다.

알아보니깐... 이사를 자주 다니는 가족인 것 같아요.

아마 여기 학적기록부가 가장 최신일 겁니다.

나한

감사합니다, 보살님. 수고하셨어요.

연화보살

광목님...

나한

...

연화보살

...만나 뵙게 돼서 영광입니다.

연화보살에게 방긋 웃어주는 나한.

합장을 한 뒤, 바로 사라지는 연화보살.

나한은 받은 봉투에서 누군가의 학적기록부를 꺼내 본다.

금화의 학적기록부. 금화의 사진과 가족관계란에 보이는 할아버지와 할머니.

그리고 그 너머 보조석에 펴져 있는 경전. 빼곡히 한문으로 적혀 있는 알 수 없는 숫자들.

50. 건널목. 낮

촤~ 하고 지나가는 기차. 잠시 후 파란불이 들어오는 신호등.

나한의 차는 건널목을 유유히 가로지른다.

51. 도솔여자중학교 앞. 오후

수업을 마치고 몰려나오는 학생들. 그 사이 다리를 절며, 홀로 걸어
나오는 금화가 보인다.
주변의 아이들은 금화를 흉내 내며 따돌린다. 하지만 태연한 금화의 표정.
그리고 건너편 차 안에서 그런 금화를 보고 있는 나한.

52. 버스 안. 오후

빗물 맺힌 창밖을 보고 있는 무표정한 금화.
그리고 그 뒤를 따라오고 있는 나한의 자동차.

53. 도솔마을 입구_ 실외/오후

떠나는 버스를 뒤로하고 마을을 올라가는 금화.
건너편에서 금화를 보고 있는 제천무당과 장석(법사들 중 한 명).

장석
자가 간 거 같네요.

제천무당
야~ 분위기 봐라... 사람 아인 것 굿다.

54. 금화의 집 근처. 오후

멀리 보이는 금화의 집. 근처에 멈추는 나한의 자동차.
멀리 집으로 들어가는 금화가 보인다.

cut to 해질녘
금화의 집으로 들어오는 트럭 한 대.
차에서 내려 주변을 살피며 집으로 들어가는 금화의 할아버지.
차 안에 있는 나한은 시간을 체크한다.
잠시 후 마을을 내려오는 나한의 자동차.

해안스님 (V.O)
대부분이 초기불경들 아함경, 열반경, 법구경하고...
또 밀경은 대일경, 금강경을 편집해놓은 게 다인데...

55. 박 목사의 사무실. 저녁

사슴동산의 경전에 대해 박 목사와 요셉에게 설명하고 있는,

해안스님
근데 번역과 상징들을 풀어내는 솜씨가
제가 본 법경 중 단연코 최고였어요.

박 목사
그럼 그냥 평범하다는 거네.

해안스님

얘기 좀 끝까지 들어봐요. 선배. 중요한 건...
여기 생전 처음 본 경문이 있다는 거예요.
(경전 마지막 부분을 펼치며)
마지막에 붙어 있는 경전인데... 이름이 항마경이에요.

고요셉

항마...

해안스님

그쵸. 뉘앙스대로 마군들과 신들이 싸우는 내용인데요.
일종의 예언집인 거죠. 재밌는 건
다른 법경들은 지나칠 정도로 실천적인 해석이 되어 있지만,
이 항마경만 유독 상징적으로 돼 있어요.
마치 성경의 요한계시록처럼...

커피를 들고 사무실로 들어오는 심 권사.
경전을 보던 박 목사는 천천히 읽기 시작한다.

박 목사

엎드린 슬픈 짐승들이 날개를 달고 다시 태어나
태토에 뿌려져 있는 뱀들을 밟을 것이니.
등불을 지키는 짐승아 뱀을 밟을 별들아
눈물을 닦고 떨리는 몸을 덮지 말고~

56. 제천 사슴동산 앞. 저녁

조용한 제천 변두리. 뾰족한 기와지붕 건물에 보이는 사슴동산의 문양.

박 목사 (V.O)
~뱀의 눈은 아름답고 뱀의 혀는 달콤할 것이니
용맹한 짐승은 칼과 창을 들어 소녀의 몸에 움튼 뱀을 잡으리라.
떨고 있는 짐승아. 슬퍼하지 마라. 두려워하지 마라.
모든 법이 이루어지면 이제 너희는 별이 될 것이고~

57. 제천 사슴동산. 밤

사면에 으스스한 탱화가 그려진 좁은 방. 그 가운데 누워 있는 나한.
머리 위에 놓인 작은 상에 향이 모락모락 피어오르고 있다.
순간 어디선가 들려오는 어린아이들의 속삭임.
요동치기 시작하는 향의 연기. 갑자기 나한의 입에서 입김이 나온다.

나한
하... 하...

계속 들려오는 소름 끼치는 속삭임. 입김을 내뿜으며 눈을 번쩍 뜨는
나한.
높고 어두운 천장이 보인다.

나한

하... 하...

천장 대들보 너머로 보이는 칠흑 같은 어둠. 그 속에서 조금씩 보이기
시작하는 눈동자들.
나한은 눈을 질끈 감는다. 천장에서 계속 들려오는 아이들의 흐느낌과
울음소리.

나한

흐... 흐... 흑...

요동치는 향의 연기. 점점 더 가까워지는 울음소리와 흐느낌. 눈을
질끈 감은 채 오들오들 떨고 있는 나한. 어두운 천장에 보이는 수많은
눈동자들. 나한에게 점점 가까워지는 기이한 소리들.
순간, 어느 여인이 나한의 귀에 대고 속삭인다.

여인

(아이에게 말하듯 다정하게)

나한아... 일어나야지.

나한

(갑자기 눈을 뜨며)

허헉.

순간 호흡을 멈추고 벌떡 몸을 일으키는 나한. 빠르게 사그라지는
소리와 형체들.

다시 조용해진 방 안. 향의 연기는 흔들림이 약해지고 다시 한 줄기로
피어오른다.

나한

하... 하...

두려운 얼굴로 오들오들 떨고 있는 나한. 천천히 고개를 들어 눈앞의
탱화를 본다.
아귀들이 가득한 지옥에서 구름을 타고 천계로 올라가고 있는
광목천의 모습. 그 위로 인자한 여래의 얼굴이 보인다. 다시 들려오는
박 목사의 항마경.

박 목사 (V.O)

~인자한 여래의 미소 아래 짐승은 뱀의 전쟁에서 승리하여
다시 태어나리니~ 하늘만은 너희의 노고를 잊지 않을 것이라~

58. 박 목사의 사무실. 밤

경전을 들고 타들어가는 담배를 비벼 끄는 박 목사.

해안스님

전부 금수록, 귀의록, 항마록, 승천록 이렇게 네 챕터로 되어...

박 목사

이거... 사천왕이네.

해안스님

그죠. 짐승이었고, 불법에 귀의해...

박 목사

악귀를 잡고, 승천하여 부처가 된다...

고요셉

김철진도 소년원 출신이고...

안경을 닦으며 뭔가를 생각하는 박 목사.
그리고 그를 바라보는 해안스님과 요셉.

박 목사

이분들...

전부

...

박 목사

(안경을 다시 쓰며 씩 웃는)
...귀신 잡으러 다니네.

놀란 표정의 요셉과 해안스님 그리고 심 권사. 아무 말 없이 커피를
마시는,

박 목사

해안... 이 경전 누가 만든 건지는 알 수 있어?

해안스님

마지막에 보면 법명으로 적혀 있긴 해요. 김 풍사라고...

경전의 마지막에 적혀 있는 글씨. '2000.7.20. 金偓師'

박 목사

김 풍사라... 누구지...

해안스님

들어본 것 같기도 하고...

커피 잔을 치우던 심 권사가 무심하게 말한다.

심 권사

구 박사님한테 물어보시죠?

박 목사

구 박사? 그건 또 누구예요?

심 권사

...구글.

박 목사

...

고요셉 / 해안스님

...

박 목사
(박수를 치며 비웃으며)
야... 우리 심 권사님... 여유가 있어요. 여유가...
이 와중에 개인기도 날리고... 와... 월급 올려드려야겠어...

cut to 컴퓨터 앞
구글에 '김 풍사'라고 쳐 넣는 요셉. 그 뒤에 서 있는 박 목사와
해안스님 그리고 심 권사.

박 목사
야. 키워드가 너무 성의 없지 않냐?

다시 '김 풍사 불교 종교'로 검색을 하는 고요셉. 몇몇 자료들이 나오기
시작한다.
그중 1985년도 불교 신문 기사. '티벳 대승 네충텐파. 동방교 교조
김제석(풍사) 만나다'

박 목사
동방교?

해안스님

동방교면... 네 예전에 저희 쪽에서 굉장히 유명했었죠.
아직도 추종자들이 많이 있을 정도로...
김 풍사... 아... 그 김제석이네.

박 목사

동방교 교조 김제석이... 이 경전을 만들었다... 뭘까...

해안스님

동방교 관련 전문가가 한 명 있긴 해요.

박 목사

누구?

해안스님

...문어.

박 목사

...

해안스님

왜~ 친하잖아요...

59. 금화의 집, 할머니 방. 밤

미친 듯이 방언을 하며 기도하는 금화의 할머니.
앞에 앉아 같이 기도하는 금화. 눈을 뜬 채 가짜로 기도하며 할머니를
노려본다.

60. 금화의 집, 거실_ 실내/밤

가계장부와 꼬깃꼬깃한 지폐를 세면서 소주를 마시고 있는 금화의
할아버지.
말없이 부엌에서 안주를 더 가져와 놓고 가는 금화.

할아버지
잠깐만 와봐라.

금화
왜요?

할아버지
와보라니깐...

할아버지 앞으로 마지못해 다가와 서는 금화.

할아버지
니... 공부는 잘하고 있나.

금화

그냥 해요.

할아버지

친구는 있나.

금화

네.

할아버지

이번에는 어떻게든 이사 안 가고 버티볼 거니깐... 흠...

다른 곳을 보며 한숨을 쉬는 금화.

할아버지

니... 저거 죽도록 밉제?

금화

뭘요?

할아버지

니 다리... 그리고 저거... 니 쌍뒤 언...

금화

저게 왜요?

구석에 보이는 뒷문을 바라보며 소주를 한 잔 마시는,

할아버지

...출생신고도 못하고... 말도 안 가르쳐가 못해도... 그래도...

금화

됐어요. 다 알아요.

할아버지

금화야... 니 피붙이데이. 저기... 있잖나... 흐흐흑
(흐느낌)
저륵키 살 줄 몰랐다. 겁나... 지금도 나도 겁난데이...
버리지도 모하고 지기지도 못하는데...

금화

그냥 죽여요, 할아버지.

할아버지

...!

금화

못하면 내가 죽일게요.

할머니

(방에서 나오며)
금화 빨리 들어와. 찬송하자.

놀란 할아버지를 바라보는 금화. 서늘하다.

61. 금화의 집 밖.

Insert 비가 온 뒤 자욱한 안개 속에 보이는 금화의 집. 은은히 찬송가
소리가 들려온다.
금화의 집으로 슬그머니 다가가는 제천무당과 장석. 찬송가 소리에
섞여 들리는 울음소리.

제천무당

니... 들리나?

장석

네... 찬송가 250장... 구주의 십자가 보혈로...

제천무당

아이씨... 그거 말고... 저쪽에 가만히 들어봐봐...

가만히 있자 작지만 선명하게 들려오는 울음소리.
장석은 제천무당을 바라본다.

제천무당

사람 울음소리는 아이제...

62. 보덕사 계단. 밤

해안스님 (V.O)

전화해놓을 테니, 좋은 거 사 가요. 문어스님... 은근 밝혀요.

싸구려 음료수 박스를 들고, 고즈넉한 돌계단을 올라가는 박 목사와 요셉.
뒷모습이 힘들어 보인다. 거친 숨을 내쉬며 끝이 보이지 않는 계단을
올려다보는 박 목사.

박 목사

하... 왜 산이냐... 바다가 아니고...

63. 보덕사_ 주지스님 집무실. 밤

Insert 목탁 소리가 은은하게 들려오는 보덕사. 뒤편 구석에 보이는
주지스님 집무실.
총무스님은 서재 구석에 있는 에스프레소 머신에 캡슐을 넣고 커피를
뽑는다.
가져온 싸구려 음료수 박스를 앞에 놓고 머쓱하게 앉아 있는 박 목사와
요셉.

총무스님

귀~한 거 사 오셨네요... 귀한 거...

박 목사

워낙 스님들이 소유에 부담스러워하시니깐... 뭐... 성의라도...

총무스님

6천원짜리 성의네요. 6천원짜리.

(커피를 박 목사와 요셉에게 놓고, 책장 쪽으로 걸어가며)

해안스님과 간단히 통화는 했습니다. 동방교 김제석이라...

(東方敎라고 적힌 커다란 책자를 꺼내놓으며)

일단 제가 제일 먼저 해드릴 말은... 풍사 김제석은 진짜입니다.

박 목사

진짜...라니요?

총무스님

한마디로 그는 신이라 불리던 사람입니다.

박 목사

...!

총무스님

그 당시에 보수 불교단체들은 그를 극히 꺼려했지만...

김제석은 성불의 극치에 다다른 사람입니다. 이게 유일한 사진인데...

책자에 스크랩해놓은 오래된 흑백 일본 신문 기사를 펼쳐 보인다.

사진 속에는 일본 승려들이 알몸으로 무릎을 꿇고 있고, 그 너머

연기가 자욱한 유황 밑에서 기어 올라오는 알몸의 한 남자. 희미하지만

덥수룩한 수염 속에 표정이 비장하다.

총무스님

1940년쯤이죠. 그가 얼마나 뛰어났으면 일본 밀교승들과
심지어 총독도 그를 스승으로 모셨습니다.

박 목사

친일을 했다는 건가요?

총무스님

제 이야기는 계속됩니다.

박 목사

아 죄송합니다...

총무스님

오히려 그는 의열단에 독립자금까지 댔었습니다.
광복 이후에도, 일본이 착취했던 보물과 재산들을
그가 다시 다 받아냈지요. 하지만 그 당시 정국이 애매해지자,
김제석은 모든 것을 종교계와 복지에 썼습니다.
그러면서 자연스럽게 세력이 확장됐겠지요.

박 목사

그게 동방교군요.

총무스님

네. 그러다 1985년인가...

죽기 전에 경전을 완성한다고 갑자기 종적을 감췄어요.

그리고 동방교는 점점 사라지게 되었고요.

박 목사

혹시 직접 보신 적은 있으시나요?

총무스님

아니요. 그를 직접 본 사람은 거의 없습니다.

측근의 제자만 그를 만날 수 있었다고 합니다.

박 목사

아직 살아 있을까요?

총무스님

보자... 김제석이 강원도 영월... 1899년생이니깐... 지금...

고요셉

116세입니다.

총무스님

열반하셨겠네요. 안타깝게도...

희미한 김제석의 사진을 바라보는 박 목사.

요셉은 옆 페이지에 스크랩 된 여러 신문 기사들 중, 하나를 가리키며 박 목사를 바라본다.

박 목사

응... 봤어.

작은 불교 신문 기사. '동방교 양주소년교도소 후원'

64. 금화의 집_ 뒷마당. 밤

까마귀들이 수두룩 앉아 있는 을씨년스러운 나무를 따라 내려가면,
울음소리가 들려오는 헛간이 나오고, 그 뒤편에 보이는 꿈틀거리는
무언가.
카메라 천천히 더 내려가자, 수십 마리의 뱀들이 서로 얽혀 헛간
뒤쪽으로 몰려오고 있다.
철창 속에 가만히 있던 개 한 마리가 갑자기 일어나 으르렁거리기
시작한다.
슬레이트 담을 넘어 뒷마당으로 들어오고 있는 제천무당과 장석.

장석

뭔... 아 우는 소리 같은데요.

제천무당

저 봐라... 밤나무가 아래로 갈수록 썩었잖아. 그자?

장석

하... 음기네요. 음기...

철창 속의 개들은 왔다 갔다 하며 으르렁거리고,
그 사이로 보이는 헛간. 계속 들리는 울음소리.
근처까지 다가온 제천무당과 장석.

장석

(개들에게)

쉬! 쉬!

제천무당

(장석에게 손을 내밀며)

싸리나무.

품속에서 싸리나무 가지를 꺼내 건네는 장석.
헛간 안 틈에서 누군가의 시점으로 보이는 제천무당. 싸리나무를
흔들며 다가오고 있다.

제천무당

음~~ 음~~ 공주님~

그때 헛간 문 밑으로 기어 나오는 독사 한 마리.
입으로 이상한 소리를 내며 헛간으로 다가가는 제천무당.
그리고 은밀히 움직이는 독사.

제천무당

인사 왔어요~ 음~~ 음~~

뱀을 보지 못한 제천무당이 문 가까이 다가가자, 순간 캬! 하고 다리를 무는 독사.

제천무당

아악!

짧은 비명소리와 함께 넘어지는 제천무당. 미친 듯이 짖기 시작하는 개들. 컹! 컹!

제천무당

허허헉... 저기... 허허헉... 뱀... 뱀...

헛간 문틈으로 점점 더 기어 나오는 뱀들. 장석은 버둥거리는 제천무당을 잡아끌고 뒤로 물러난다. 계속 짖어대는 개들. 기겁하여 소리도 내지 못하고 도망치는 제천무당과 장석.

cut to
헛간 문틈으로 들리는 거친 숨소리.

65. 경기도 도로. 오전

스산한 지방도로를 달리는 박 목사의 자동차.

운전을 하는 요셉. 옆에서 통화를 하고 있는 박 목사를 바라본다.

박 목사
그러게요. 계장님... 크리스마스도 다가오고, 이 추운 날씨에
거기 우리 소년수들이 갑자기 생각이 나더라구요. 참...

차 뒤에 잔뜩 실린 빵과 음료수. 계속 통화를 하는,

박 목사
아니요. 아니요. 그냥 조용히 갔다가 소장님께 인사만 하고
오고 싶습니다. 네네... 금방 도착합니다. 네~

전화를 끊은 박 목사는 무표정으로 김제석의 사진과 자료에 집중한다.
그런 박 목사를 바라보는,

고요셉
...목사님.

박 목사
왜...

고요셉
이 일 재밌으세요?

박 목사
(무심히 서류를 보며)

...재미로 하냐. 너 월급 줄라고 하는 거지...

고요셉

...

박 목사

...

고요셉

저 이번 일까지만 하고... 내년에 인도네시아 선교 가려고요.

박 목사

거긴 왜...

고요셉

저번 홍수로 일손도 필요하다고 하고,
뭐... 기도는 하고 있는데... 말씀해주시겠죠.

박 목사

흠... 요셉아... 기도하면 말씀해주시냐?

고요셉

네?

박 목사

기도하면 응답해주시냐고?

고요셉

...

박 목사는 보고 있던 자료를 차 앞에 던져놓고, 말없이 차 창밖을 본다.
잠시 후,

박 목사

한 친구가... 신학교를 졸업하고 결혼해서 남아공으로 선교를 갔어.
기도도 많이 하고 참~ 신실한 부부였지.
근데, 몇 년 뒤에 혼자 돌아왔더라고...

고요셉

...왜죠?

박 목사

가족이 전부 총에 맞아 죽었어.

고요셉

...!

박 목사

두 살 난 아들내미도... 갓 태어난 딸도... 그냥 다 죽었어.
(요셉을 바라보며)
너 겁주려는 게 아니라... 난 모르겠어.
그 가족이... 매일 밤... 손 모아 기도한 응답이 그건 거냐?
응? 얘기 좀 해봐.

고요셉

저는 분명... 거기에도... 다 하나님의 뜻이 있다고...

박 목사

제발 하나님의 뜻...! 그런 소리 좀 하지 마.

고요셉

...

박 목사

범인으로 잡힌... 열세 살짜리 그 무슬림 아이가 한 말이 뭔지 알아?

고요셉

...

박 목사

신의 뜻이래...

고요셉

...

박 목사

...저 밑에선 우리가 개미들처럼 지지고 볶고 있는데...
그래. 니가 말한 대로 모든 게 하나님의 뜻이라면... 그럼...
(간절한 표정으로)
...그럼 우리가 너무 불쌍하지 않나?

고요셉

...

박 목사

있잖아. 요셉아... 난 찾아야 돼.

고요셉

...

박 목사

이렇게 여기저기 쓰레기통을 막 뒤지다 보면...
그중에 정말... 뭔가... 만날 수도 있지 않을까?

고요셉

...

박 목사

그래서... 혹시 정말로... 진짜를 만나면...

고요셉

...

박 목사

따지려고... 이렇게 이기적이어야만 하냐고...
당신의 그 뜻을 이루는데 왜 우리가 고통받아야 되냐고...

고요셉

...

무표정으로 다시 김제석의 자료를 펼치는 박 목사.

아무 말 없이 계속 운전하는 요셉. 슬쩍 룸미러에 걸려 있는 십자가를 바라본다.

66. 양주소년교도소_ 교도소장 사무실. 낮

벽에 크게 '아들아 다시 태어나라'라고 적혀 있는 붓글씨.

박 목사의 명함을 보는 교도소장.

교도소장

보자. 종교문제연구소라...

어떻게 또 이렇게 갑자기 우리 아이들에게 선물도 해주시고...

박 목사

그냥 겸사겸사 아이들도 보고, 고생하시는 소장님께 인사라도...

교도소장

그렇게 안 보이시는데요. 목사님...

박 목사

...

교도소장

제가 여기 30년 가까이 있었는데... 이유 없는 후원은 없습니다.
목사님... 그냥 편하게 볼일 보셔도 괜찮습니다.

박 목사

소장님이 참 시원시원하시네요... 다름이 아니라...
예~전에 그... 동방교...에서 후원을 받았다고 들었습니다.

교도소장

맞습니다. 저기 밖에 보이는 실습장인 제석관을 건립해주셨죠.

박 목사

제석관이면... 동방교 교조인 김 풍사 김제석의...

교도소장

네. 한때... 종교계에서 괜히 표적대상이 되셨지만,
정말 좋은 분이셨어요. 소년수들도 자기 자식처럼 생각하셨고...

박 목사

왜 그러셨을까요?

교도소장

네?

박 목사

이유 없는 후원은 없는 거 아닙니까?

박 목사를 보며 음흉하게 웃는 교도소장.

67. 양주소년교도소_ 복도. 낮

복도를 걸어가며 이야기하는 박 목사와 교도소장, 그리고 요셉.

교도소장
우리나라에 미성년 경범죄자들이 가는 소년원이 35개가 있고,
강력범들... 반 이상이 살인이겠지요?
그 청소년 중범죄자들이 우리 소년교도소로 옵니다.
저질 경범죄자들보단 여기 강력범들이 오히려 생활도 잘하고
교화도 잘됩니다. 진지한 아이들인 거죠...

박 목사
...

교도소장
근데 그 강력범들 중에 좀... 다른 아이들이 있어요.

박 목사
어떤 아이들이죠?

교도소장
매해 한두 명씩은 들어오는 것 같아요. 천성이 아주... 불안정한...

박 목사

...

교도소장

아버지를 죽인 아이들이에요. 이유야 여러 가지가 있지만...
결과는 거의 같아요. 기준이 없어지는 거죠.
한참 자라는 수컷들에게...

중앙 현관에 걸려 있는 액자 앞에 도착한 교도소장. 박 목사에게
사진을 보여준다.
'東方敎 후원 제석관 건축기념'이라고 적힌 오래된 기념사진. 교도소
간부들과 가운데 두루마기를 입은 김제석으로 보이는 마른 노인.
그리고 그 앞에 앉아 있는 네 명의 소년수들.

교도소장

그때... 김 풍사님께서 네 명의 소년수를 극진히 후원하셨어요.

네 명이란 말에 박 목사와 요셉은 눈을 마주친다.

고요셉

네 명이라면...

교도소장

부친 살해 소년수들 넷이요. 아무래도 교육으로는 한계가 있으니...

박 목사

그래서 종교의 힘으로...

교도소장

심지어 그걸 넘어 김 풍사님은 그 애들을... 양아들로 삼았습니다.

박 목사

그 네 명을 양아들로... 그럼 그중에 한 명이 김철진...

교도소장

(고개를 끄덕이며)

네... 아름답지 않습니까? 존경할 만한 아버지가 되어준다는 게...

박 목사

(사진 속 네 명의 소년수를 바라보며)

혹시... 여기 나머지 세 명의 소년수들... 누군지 알 수 있습니까?

교도소장

목사님... 그런 정보는 위에서 허가가 나야지만...

박 목사

위라면... 여기서 제일 위면... 소장님 아니십니까?

교도소장에게 슬며시 팔짱을 끼며 웃는 박 목사.

68. 영월버스터미널 앞. 오후

비가 쏟아지는 길거리. 사람들 사이로 다리를 절며 걸어가는 금화의 뒷모습.

69. 영월버스터미널 안. 오후

군인들이 대부분인 한적한 터미널. 매표소로 다가가는 금화.

금화
서울 가는 거 얼마예요?

직원
동서울요... 강남요?

금화
...동서울요... 아니 강남요.

직원
네... 학생 12,500원입니다. 몇 시 꺼 드릴까요?

매표소 직원이 시간표를 보는 사이 사라지는 금화. 그리고 줄 뒤에 서 있는 나한.

cut to

창밖으로 떠나는 버스를 바라보고 있는 금화.
나한은 터미널 구석에서 금화를 보고 있다.

70. 춘천지방경찰청 과학수사대 부검실. 오후

어두운 부검실. 전등 밑에서 부검의가 뭔가를 유심히 보고 있다.
살짝 보이는 사체의 작은 손. 새까맣고 뾰족한 손톱. 김철진 사건의
사체다.
입속에서 콩처럼 생긴 작은 물체를 핀셋으로 조심스럽게 꺼내는 부검의.
옆에 보이는 여러 개의 팥 알갱이와 부적 조각.

71. 영월경찰서_ 탈의실 / 춘천지방경찰청 부검실. 오후

옷을 갈아입으며 부검의와 통화 중인 황 반장.

황 반장
팥요?

부검의
네. 사체 입안이랑 식도에서도 꽤 나왔는데...

황 반장
뭐... 못 먹는 것도 아니고... 그럴 수 있지 않나?

부검의

그렇긴 한데, 위에서는 검출되진 않아서 먹은 것 같지는 않고...
그리고 예전에 비슷한 게 좀 있었던 거 같아서요.

황 반장

저는 기억 안 나는데... 암튼 한번 알아볼게요.

조 형사

근데 반장님, 김철진 건... 좀 이상하긴 하죠. 자살까지 하고...
게다가 동기도 없어 보이고...

말없이 무표정으로 옷을 갈아입는 황 반장.

72. 영월버스터미널 앞. 오후

터미널에서 나와 걸어가는 금화. 슬쩍 금화를 다시 따라붙는 나한.
절뚝거리며 걸어가던 금화. 갑자기 멈춘다. 그리고 뒤돌아 나한에게
걸어와 멈추는,

금화

죄송한데요... 뭐 강간범 같은 거예요?

나한

네?

금화

나 따라다니잖아...

나한

...

금화

아저씨... 잘 들어요.

나한

...

금화

(나한의 옷깃을 살짝 만지며)

나 건들지 마세요... 귀신 들려요.

뒤돌아 가버리는 금화. 무표정으로 그 뒷모습을 바라보는 나한.

73. 가평휴게소. 오후

허름한 식당의 구석. 박 목사와 요셉이 경전과 사슴동산 자료들을 펼쳐놓고 있다.

박 목사

(항마경 첫 장을 손가락으로 짚으며)

빛나는 강에 숨겨진 채씨야. 들이라.

너는 짐승이라. 피를 묻힌 짐승이라.

세상은 너의 어둠만을 보리니 슬퍼하지 마라...

고요셉

(이름을 적어 온 쪽지를 보며)

채태근. 전상범. 정나한. 김철진...

박 목사

정확하게 맞아떨어져. 빛나는 강. 빛날 광에 강 주 자겠지. 채씨.

광주가 고향인 채태근을 말하는 거야.

그리고 별의 강의 전씨. 성주. 성주 전씨 전상범.

고요셉

푸른 강... 청주 김씨인... 김철진...

솟아오르는 강의 숨겨진 짐승 정씨. 진주 정씨 정나한...

박 목사

경전에 정확하게 예언되어 있어... 교도소에서 온 네 명의 아이들.

고요셉

...

박 목사

그리고... 여기서 세 명은 죽은 거고...

고요셉

네? 그걸 어떻게 아세요?

박 목사

그래야 퍼즐이 맞으니깐...

박 목사는 정선, 단양, 제천, 태백의 사슴동산 탱화 사진을 비교한다.

박 목사

정선하고 단양 사천왕 탱화를 봐봐. 머리에 두광이 그려져 있지?

고요셉

두광...

박 목사

가톨릭 성인들도 순교를 하면 성화에 두광을 그려 넣어.
나도 처음엔 궁금했어...
왜 정선과 단양의 사천왕에만 두광이 있는지...

고요셉

죽었다는 거네요.

박 목사

열반한 거지. 고귀하게... 귀신 잡다가...

고요셉

…!

박 목사

자… 이제 김철진도 죽었으니… 태백 지국천왕에도 두광이 요렇게~

박 목사는 태백 지국천의 탱화에 동그랗게 두광을 그려 넣는다.

박 목사

그럼 이제 얘 하나 남았네. 제천 광목천왕…

74. 금화의 집 근처. 해질녘

Insert 비가 그친 뒤 우중충한 하늘. 그 위를 기이한 모양을 만들며 날고
있는 새들.
멀리 금화의 집에서 나오는 금화의 할머니.
차 안에서 그것을 지켜보고 있는 나한. 보조석에서 작은 상자를 꺼낸다.
열어보니 한 묶음씩 부적에 싸여 있는 팥. 조심스럽게 그중 하나를
집어 든다.

75. 금화의 집 안 / 뒷마당. 해질녘

/ 금화의 방
방에 혼자 앉아 있는 금화. 바지를 걷어 자신의 다리를 보고 있다.

근육이 징그럽게 일그러져 있는 앙상한 다리. 무표정의 금화.

/ 거실
열려 있는 거실의 창문. 어느새 거실 안으로 들어와 있는 맨발의 나한.
두 손에 노끈을 쥐고 금화의 방으로 조심스럽게 다가간다.

/ 뒷마당
쇠줄을 철컥거리며 헛간 문 가까이 다가오는 그것.
문틈 사이로 움직이는 그것의 그림자와 거친 숨소리.
Insert 하늘 위에 기이한 모양을 만들고 있는 새들.

/ 거실
긴장한 표정으로 금화의 방 가까이 다가가는 나한.

/ 뒷마당
헛간 문틈 사이로 살짝 보이는 그것의 형체. 들려오는 이상한 중얼거림.

/ 금화의 방 앞
금화의 방 가까이 다가온 나한. 그때, 퍽! 하고 새 한 마리가 거실
창문을 깨며 들이받는다.
놀라 동작을 멈추는 나한.

/ 금화의 방 안
유리가 깨지는 소리를 듣고 놀라는 금화.

/ 거실

잠시 후 다시 퍽! 퍽! 하고 거실 유리창을 깨며 들이받는 새들.
놀란 표정으로 방문을 열고 나오는 금화. 나한의 모습은 보이지 않는다.

/ 부엌
어느새 부엌으로 몸을 숨긴 나한. 그때 끼이익~ 하고 조금 열리는
십자가가 걸려 있는 뒷문.
뒷마당 어디선가 들려오는 기이한 울음소리. 놀라는 나한의 표정.

76. 금화의 집_ 뒷마당. 해질녘

개들이 철창 속에서 짖기 시작한다. 나무 위 까마귀들 너머로 모습을
드러내는 나한.
헛간 안, 문틈으로 보이는 나한의 모습. 울음소리가 들리는 헛간을
보며 천천히 다가가는 나한.
문틈으로 나한을 보고 있던 그것은, 울음을 멈추고 알 수 없는 말을
웅얼거린다.

그것 (V.O)

아히마 리이히미 사카사라.

소리가 들리자, 나한을 향해 사납게 짖던 개들이 일시에 짖는 것을
멈춘다.
헛간으로 다가가는 나한. 그리고 묶여 있는 쇠줄을 철컥거리며 마치
오라는 듯 손짓하는 그것.

그것 (V.O)

마지카와 마지카. 올란바치.

나한이 가까이 오자 개들은 학학거리며 뒤로 물러나고, 헛간에서 계속
들려오는 속삭임.
그때, 뒷마당 밖에 멈추는 할아버지의 트럭.
재빨리 헛간 문 쪽으로 몸을 숨기는 나한. 그리고 미친 듯이 짖어대는
개들.
빈 철창을 들고 와 옮겨놓고, 개들에게 사료를 뿌리는 할아버지.

할아버지

쉬~ 쉬~ 오늘 왜 이래노... 야들이...

몸을 숨긴 나한은 바로 옆 헛간의 문틈으로 살며시 안을 훔쳐본다.
어두운 헛간 안. 소리 내며 움직이는 쇠줄. 구부정한 허리에 작은
체구의 무엇.
그때 갑자기 문틈으로 나타나는 누런 눈알.

나한

헉...

그것과 눈이 마주친 나한. 순간 놀라 뒤로 물러나자,
철문 밑에서 검고 가는 팔이 나한의 다리를 확 움켜잡는다.

나한

허허헉...!

할아버지

누구야!

기겁한 나한은 자신의 발목을 잡고 늘어지는 손을 뿌리치고 일어나
도망친다.

가까이 다가오는 할아버지를 부딪쳐 넘어뜨리고, 뒷마당을 달려
나가는 나한.

77. 금화의 집 밖. 해질녘

뒷마당에서 뛰어나오는 나한.

flash back

누런 눈알. 발목을 잡는 기이한 여섯 개의 손가락.

놀란 표정의 나한은 계속 달려 금화의 집을 벗어난다.
집 앞에서 멀리 나한의 뒷모습을 바라보는 금화.

cut to 헛간 안

그것이 자신의 팔을 만지자 털이 벗겨지고 맨살이 드러난다.

78. 서울남대문경찰서_ 생활안전과장실. 밤

책상 위 스탠드만 켜져 있는 어두운 사무실.

컴퓨터 앞에 앉아 있는 박은혜와 그 옆에 박 목사.

박은혜

보자... 우선 전상범은 화재사고로 죽었고...
1999년 영월 마리아산후조리원... 건물 화재...
어이구... 많이 죽었네. 사람들...

박 목사

그럼... 캐나다에서 죽었다는 채태근은?

박은혜

얘는... 강도살해 사건인데? 보니깐 우발적으로 한인 모녀를 죽이고...
도주 중에 잡혔어. 그리고 밴쿠버 구치소에서 목을 맸고.

박 목사

교화 좋아하네... 전과자 새끼들...

박은혜

그리고 여기 유일하게 살아 있는 정나한은... 나도 얼핏 기억나.

박 목사

뭔데?

박은혜

예전에 유명했었어. 영등포 사창가 소년 살인 사건. 20년 정도 됐지?
사창가에서 자란 중학생이 지 아버지를 손으로 때려 죽였어.

박 목사

...

박은혜

뭐... 엄마가 사창가에서 일했고...
아버지라 해봐야 포주 쓰레기였겠지. 스토리는 뻔하잖아?

박 목사

흠...

박은혜

그래서 한때 중학생인 피의자를 이렇게 하자... 저렇게 하자...
좀... 시끄러웠던 게 기억나. 어떻게 보면... 불쌍한 놈이지.

박 목사

(짐을 챙기며)
불쌍은 개뿔...

박은혜

무슨 일인데? 응?

아무 말 없이 겉옷을 입는 박 목사.

박은혜

야... 박웅재... 이번엔 좀 진지해 보인다.

79. 제천 사슴동산_ 신장당. 밤

요란하게 흔들리는 향의 연기. 곳곳에서 들려오는 어린아이들의
울음소리와 흐느낌.
눈을 감고 입김을 내뿜으며 오들오들 떨고 있는 나한.

나한

하... 하...

그 위에 작게 들려오는 자장가.

나한 모 (V.O)

~우리애기 하얀양도 엄마품에 자장자장 추운겨울 눈보라야~

젊은 여자의 품에 안겨 있는 나한.
어두운 신장당 천장에 빼곡히 매달려 있는 어린아이들의 시체.
품에 안긴 나한을 쓰다듬고 있는 그녀의 손.

나한 모

~우리집에 오지마라 어둔밤아 물러가라 우리집에 오지마라~

어두운 방 안에서 혼자 초라하게 누워 오들오들 떨고 있는 나한.

dissolve to 금화의 집, 헛간
서글픈 흐느낌이 들리는 헛간 안. 어두운 곳에서 울며 떨고 있는 그것.

〈F.O〉

80. 제천 사슴동산 앞_ 실외/새벽

아직 어두운 새벽의 길거리. 쓰레기차가 정적을 깨고 지나간다.
제천 사슴동산 건물 1층. 셔터문을 열고 나와 자신의 차에 타는 나한.
부르릉~ 시동을 걸고, 나한은 룸미러에 보이는 자신의 얼굴을 잠시
바라본다.
움직이는 나한의 자동차. 화면에서 프레임아웃 되자, 뒤에 보이는
박 목사의 자동차.
밤을 샌 듯 벌건 눈의 박 목사. 나한의 차를 따라간다.

박 목사
광목천왕... 실물이 낫네.

81. 제천 근처 도로 2. 새벽

안개 자욱한 새벽. 도로를 달리는 나한의 자동차.
박 목사는 빈 담뱃갑을 구겨버리고, 졸린 듯 자신의 볼을 때린다.

박 목사
어디로 가냐... 어디로 가냐...

하얀 서리가 낀 풀들 너머 적막한 도로. 잠시 후 빠르게 지나가는
두 대의 자동차.
도로 넘어 멀리 보이는 안개 자욱한 거대한 산맥. 그 사이로 동이
떠오른다.

82. 영월경찰서_ 강력계. 아침

사무실로 들어오는 황 반장. 조 형사가 파일철을 들고 다가오며,

조 형사
반장님 말씀하셨던 팥 관련 자료구요... 그리고 저기...

황 반장에게 파일철을 건네며, 눈짓으로 사무실 구석을 가리키는 조 형사.
서류들을 껴안은 채 황 반장을 기다리고 있는 요셉.

83. 녹야원 근처 도로. 아침

하얀 눈이 가득한 산속 어딘가.
차가운 표정으로 운전을 하는 나한. 한적한 도로에 접어든다.
도롯가에 보이는 낡은 팻말 '녹야원'. 속도를 줄인 뒤 좁은
비포장도로로 들어가는 나한.

84. 녹야원 안. 아침

평화롭게 눈 속을 뛰어다니는 여러 마리 사슴들.
그 너머에 보이는 나한의 자동차.

85. 녹야원 사택 앞. 아침

깊은 숲속에 모습을 드러내는 소박한 사택.
회색 머리의 묘한 분위기를 풍기는 할머니(이하 명희)가 사택에서 나온다.
차에서 내리는 나한에게 환하게 웃으며 합장을 하는 명희.

86. 녹야원 숲속 어딘가. 아침

숲속 가운데 운동복 차림으로 서 있는 누군가의 뒷모습(이하 김동수).

명희
광목이 왔어요.

김동수
어... 왔어요?

장갑을 낀 손으로 나한에게 공손히 합장하는 김동수.
바닥에 보이는 죽은 새끼 사슴.

김동수
(무릎을 꿇고 앉으며)
사슴은 불로장생이라는데... 왜 이리 연약할까요?

나한
죽는 게 끝이 아니잖아. 사람으로 다시 태어날 거야...

김동수

그렇지요. 근데 왜... 다들 죽을 때는 슬픈 눈일까요...

김동수는 슬픈 눈으로 사슴을 쓰다듬는다.

87. 녹야원 숲속 길. 아침

조용한 숲속을 걸어가며 이야기하는 김동수와 나한.

나한

분명 사람은 아니었어...

김동수

광목님... 저희가 쫓는 것들은 그렇게 보이지 않습니다.

나한

알아. 누구보다도... 뱀의 눈은 아름답고 뱀의 혀는 달콤할 것이니
소녀의 몸에 움튼 뱀을 잡으리라...

김동수

마왕도 여래께 아름다운 모습으로 나타나지 않았나요. 그 애가...

나한

...

김동수

...뱀입니다. 속으시면 안 돼요.

88. 녹야원 사택_ 안방. 아침

벽면에 미륵화가 그려진 커다란 방. 그 가운데 신선한 꽃으로 둘러싸인 환자 침대.
어울리지 않는 첨단 의료 장비들과 피 주머니. 그리고 비쩍 마른
노인(이하 김제석)이 누워 있다. 가까이 걸어가는 김동수와 무릎을
꿇고 앉는 나한.

김동수

스승님... 광목이 왔어요.

시체와 다름없는 김제석. 대답이 없다.

김동수

점점 꺼져가고 계십니다. ...시간이 없어요.

나한

...

김동수

뱀이 첫 피를 흘리는 날 등불이 꺼지고 세상은 어두워지리라...
(간절하게 나한을 바라보며)

서두르셔야 해요. 이제 광목님밖에 없습니다.

나한

제가 꼭 지켜드립니다. 그래서 세상의 법을 이루실 것이고,
어두운 사바세계를 환하게 밝히실 겁니다.

김제석

으...

김동수

잠깐만요...

김제석의 입에 귀를 가져가는 김동수.
잠시 후 김동수는 애잔하게 나한을 바라본다.

김동수

...사랑한다...고 하시네요.

나한

...

김동수

...30년을 보살핀 제자는... 한 번도 못 들어본 말인데...

그때 명희가 방으로 들어와 김동수를 바라본다.

89. 녹야원 안. 아침

어느새 녹야원 안에 들어와 있는 박 목사.
나한의 자동차에서 나오며, 주변을 두리번거린다.

90. 녹야원 축사. 아침

조심스럽게 축사 안으로 들어오는 박 목사. 텅 비어 있는 축사 안.
구석에서 큰 숨소리가 들려온다. 천천히 그쪽으로 다가가는 박 목사.
어두운 가운데 보이는 무엇! 자세히 보니,

박 목사
허억!

거대한 코끼리다. 놀라 뒤로 물러나는 박 목사. 그때 뒤에서 들리는
목소리.

김동수
저기요... 어떻게 오셨나요? 여기는 출입금지 구역인데...

박 목사
어... 그게... 여기저기 떠돌다 보니... 그러니까...

김동수
오늘은 개방되지 않는 날이어서 나가주셔야겠습니다.

박 목사

아...! 개방되는 날이 아니군요. 몰랐네요... 실례했습니다.

고개를 숙인 채 밖으로 나가는 박 목사. 그런 박 목사를 보며,

김동수

저기요!

박 목사

네?

김동수

또 담 넘어서 나가시나요? 정문으로 나가세요. 문 열어드릴께.

김동수를 뒤로하고 빠르게 걸어 나가는 박 목사의 음흉한 눈빛.

91. 녹야원 입구 근처. 낮

도로 옆 숲속에 들어가 있는 박 목사의 차.
차에서 금화의 학적기록부를 보고 있는 박 목사.
멀리 나한의 자동차가 녹야원에서 나온다.

92. 녹야원 근처 도로. 낮

앞에 가고 있는 나한의 차를 노려보며 따라가는 박 목사. 갑자기 끼익~ 급브레이크를 밟는다.
도로 가운데 멈춰서는 나한의 차. 움직이지 않고 가만히 있다.
잠시 후, 부앙~ 소리를 내며 빠르게 후진해서 달려오는 나한의 자동차.

박 목사
어... 어...

쾅! 하고 박 목사의 차를 뒤로 들이받는 나한의 차.
퍽! 하고 터지는 박 목사의 에어백.

박 목사
으윽...

나한은 차에서 내려 천천히 박 목사에게 다가온다.
에어백의 충격으로 숨 쉬기 힘들어하는 박 목사.
바로 옆으로 다가와 서늘한 표정으로 박 목사를 내려다보는 나한.
잠시 후 보조석 문을 열고 금화의 학적기록부를 집어 간다.

cut to
연기 너머로 사라지는 나한의 자동차.
박 목사는 겨우 문을 열고 나와 바닥에 쓰러진다.

박 목사

(떠나는 나한의 차를 바라보며)

허... 허...

93. 나한의 차 안. 낮

터널로 달려 들어가는 나한의 자동차.

묵묵한 표정으로 핸들을 잡은 자신의 손등을 바라본다. 그 위로 들리는
김제석의 목소리.

김제석 (V.O)

광목이다. 이제 니 이름은 광목이야...

flash back 양주소년교도소 독거방

축축한 바닥을 딛고 있는 상처투성이 주먹.

싸구려 염색이 남아 있는 어린 나한(16세). 문이 열린 독방 입구에
무릎을 꿇고 있다.

그의 눈앞에 보이는 낡은 고무신.

복도 창의 빛을 받으며 역광으로 서 있는 인자한 표정의 김제석.

김제석

넓을 광에 눈 목 자. 서쪽 귀신들을 잡는 용맹한 장군이다.

팬티만 입은 채 오들오들 떨고 있는 어린 나한. 싸움했는지 상처투성이
얼굴이다.

김제석은 두루마기를 벗어 떨고 있는 나한을 덮어준 뒤 같이 무릎을 꿇는다.

김제석

이제... 너는 별이 될 것이야.

나의 별이 될 것이고 세상을 밝히는 별이 될 것이야.

그를 올려다보는 나한의 어린 얼굴. 눈물이 고인다.

cut to 나한의 차 안

촉촉해진 나한의 눈빛. 다시 점점 차가워진다.

94. 금화의 집_ 금화의 방. 낮

방에 가만히 서 있는 금화. 이부자리에 묻어 있는 생리혈을 바라보고 있다.

고개를 숙여 바지에 묻은 피를 보는 금화. 화장실로 달려 나간다.

95. 카센터 밖. 오후

쾅~ 하고 카센터 사무실 문을 거칠게 열고 나오는 황 반장.

그리고 그를 따라 달려 나오는 박 목사.

박 목사

얘기 좀 끝까지 들어보라니까요... 네!

짜증 난 표정의 황 반장은 아무 말 하지 않고 차 문을 연다.

박 목사

이거... 보통 일이 아닙니다. 분명히 뭔가 있어요. 뭔가...

황 반장

다 끝난 거 가지고 왜 자꾸...

박 목사

모든 게 김철진 사건과 분명 무슨 이유가...

황 반장

무슨 이유요? 네? 뭘 하는데요? 거기 사람들이...

박 목사

그게...

황 반장

(소리치며)

말을 해봐요! 말을...

박 목사

...

황 반장

그냥... 김철진이는 전과자 살인범이고,
나머지 그 사람들은 그냥 평범한 사람들이에요. 더 이상...

박 목사

그냥 평범한 사람이 집에 코끼리를 키웁니까?

황 반장

...

박 목사

평범한 사람이... 따라다닌다고 차로 와서 들이받냐고!

그냥 웃고 있는 황 반장. 고개를 흔들며 차에 탄다.
출발하는 황 반장의 차. 포기하지 않고 따라가며 소리치는 박 목사.

박 목사

생각 좀 해보라고! 이유를 알아야지! 이유를!

소리치는 박 목사 너머로 멀어지는 황 반장의 차.

96. 금화의 집_ 할아버지 방. 오후

방에서 뭔가를 하고 있는 금화의 뒷모습이 살짝 보인다.
잠긴 서랍장을 드라이버로 뜯고 있는 금화.

철컥하고 뜯기는 서랍. 안에 현찰 뭉치들이 보인다.

고요셉 (V.O)

~등불의 태토에 뿌려진 뱀들을 밟고 짐승은 전쟁에서 승리하리라.
꺼지지 않을 등불을 해치는 81의 뱀의 숫자는 이러하니~

97. 카센터_ 사무실. 오후

경전의 숫자를 유심히 보고 있는 요셉.
그리고 옆에서 담배를 피우며 생각 중인 박 목사.

고요셉

목사님... 경전에 계속 나오는 이 등불이란 게...

박 목사

불교에서 등불은 미륵을 뜻해. 미륵불. 미래부처.
기독교에서 나오는 구세주와 같은 거지. 누구겠어?

고요셉

김제석...

박 목사

사천왕이 미륵을 지킨다... 뱀으로부터...

고요셉

그렇다면 뱀은... 성경에 나오는 사탄 같은 거겠고...

박 목사

그렇겠지... 악...

98. 금화의 집 안. 오후

/ 금화의 방

거울 앞에서 분홍 립글로스를 바르며, 어설픈 화장을 하고 있는 금화.

/ 거실

아무도 없는 조용한 거실에 놓여 있는 가방. 부엌에서 소리가 들린다.

/ 부엌

금화가 밥그릇에 음식물을 담고 있다. 그리고 옆에 보이는 농약.

99. 금화의 집_ 뒷마당. 오후

철창들 사이로 보이는 헛간. 금화는 밥그릇을 들고 헛간 앞에 다가선다.
물기가 흥건한 밥그릇.
잠시 고민하던 금화는 빠르게 밥그릇을 놓고 헛간을 벗어난다.

100. 금화의 집 앞. 오후

집에서 나와 빠른 걸음으로 걸어가는 금화. 냉랭한 표정의 금화.
하지만 잠시 후. 갑자기 걸음을 멈추고 다시 집으로 뛰어 들어간다.

101. 금화의 집_ 뒷마당. 오후

뒷마당으로 다시 뛰어 들어온 금화.
달려와 아직 놓여 있는 밥그릇을 치워버린다.
가쁜 숨을 내쉬며 애잔한 표정으로 헛간을 바라보는 금화.

금화

하... 하... 근데... 우린 왜 태어난 거니...

흐느끼는 소리가 계속 들려오는 헛간.

102. 대한불교사단법인_ 로비 / 카센터 밖. 오후

큰 행사가 시작되기 전 분주한 로비. 그 뒤편에 난처한 표정으로
박 목사와 통화 중인,

해안스님

뱀이라... 모르겠어요. 그건 경전을 쓴 사람만 알 수 있는 상징...

박 목사

아니 그래도... 불교에 악이란 존재가 있을 거 아니야.

해안스님

선배... 불교에는 악이 존재하지 않습니다.

박 목사

그럴 리가 없어. 부처님을 유혹했던 마왕 파순도 있고,
다른 경전에도 나오는 수라나 마라...

해안스님

아니에요. 그건 기독교식 편견이에요. 파순도 수라도...
어원을 따라가면 전부 인간의 욕망과 집착의 표현일 뿐입니다.
굳이 말하면 그게 악인 거죠. 아시겠어요? 집착하지 마세요. 좀...

박 목사

하...

해안스님

선배 죄송하지만 다시 전화드릴게요.
지금 성탄절 행사 때문에 여기 정신이 없습니다.

박 목사

성탄절인데 왜 니네가 난리야?

해안스님

참... 편협하시네. 성탄절도 저희에겐 꽤 큰 연중행삽니다.
매년 성탄절에 저희 불교 쪽 대표로 티벳 대승 네충텐파가 방한해요.

박 목사

티벳 대승? 왜?

해안스님

축하 인사 하러 오시는 거죠. 명동성당에 가서 추기경님한테...
그리고 그 전엔 항상 저희 사단법인에서 세미나를 하시는데, 제가...

부르르~ 그때 카센터 정비공이 박 목사의 차 시동을 건다. 부르르르르~~
전화를 끊은 뒤 뭔가를 골똘히 생각하는 박 목사.
하지만 쉬~ 하고 시동이 꺼지는 박 목사의 차. 다시 열심히 차를
고치는 정비공.

박 목사

티벳 대승...

103. 카센터 사무실. 오후

구글에서 다시 기사를 검색하는 고요셉.

고요셉

이게 전에 검색했던 기사예요...

'티벳 대승 네충텐파. 동방교 교조 김제석(풍사) 만나다' 오래된 기사가
나온다.

박 목사

티벳 대승 네충텐파...

고요셉

김제석 관련 마지막 공식 기사인 것 같네요. 1985년도...

박 목사

김제석이 동방교를 해체하고, 경전을 쓰러 잠적한 게 1985년...

고요셉

...!

박 목사

경전을 쓰기 시작한 거야. 그 네충텐파를 만난 뒤부터...

그때 밖에서 다시 부르르~ 시동이 걸리려고 하는 박 목사의 차.
신문 기사에 보이는 네충텐파의 흑백 사진.
마침내 부르릉~ 시동이 걸린다.
차 밖으로 나와 박 목사를 머쓱하게 쳐다보는 정비공.

104. 대한불교사단법인_ 강연실 / 박 목사의 차. 오후

Insert 하늘에서 보이는 으리으리한 건물.

로비에 크게 걸려 있는 현수막. '티벳 불교와의 교류. 대승 네충텐파 초청', '아기예수탄생을 축하드립니다. 대한불교사단법인'

거대한 첨단 강연실에 가득 앉아 있는 불교계 인사들. 그리고 강단에는 외국인 교수 한 명과 휠체어에 앉아 있는 붉은색 승복의 네충텐파가 보인다.

/ 박 목사의 차

다시 빠르게 달리는 박 목사의 자동차.

전화를 하며 운전을 하고 있는 박 목사. 옆자리에서 경전의 숫자를 받아 적고 있는 요셉.

박 목사
빠빠아... 전화 좀 받아라.

/ 대한불교사단법인, 강연실

네충텐파와 외국인 교수의 대화를 통역해주고 있는 해안스님의 모습.

105. 금화의 집 근처 길. 오후

가방을 들고 한적한 마을 길을 내려오는 금화.

cut to 금화의 집, 뒷마당

헛간 앞에 놓여 있는 낡은 스웨터.

cut to 금화의 집 근처 길
멀리 집을 뒤로하고 걸어가는 금화.
그 뒤에 천천히 모습을 드러내는 차. 나한이다.

106. 나한의 차 안. 오후

흔들리는 짐칸에 입과 손발이 묶여 있는 금화.
조용히 진언을 읊조리며 운전을 하는 나한의 뒷모습.

107. 금화의 집_ 헛간 안. 오후

어두운 헛간 바닥에 흩어져 있는 털들.
그리고 구석에 웅크리고 있는 그것. 1미터 조금 넘는 기이하게 생긴
기형아.
흐느끼며 열두 개의 손가락으로 미친 듯이 땅을 파고 있다.

108. 대한불교사단법인 앞. 오후

행사가 끝나 빠져나가는 승용차들. 스님과 자원봉사자들이 차량
안내를 돕고 있다.
정문에 멈추는 체어맨 리무진.

휠체어에서 티벳 승려들의 보좌를 받으며 뒷좌석에 타는 네충텐파.

해안스님 (티벳어)
명동으로 출발하겠습니다.

운전석에 앉아 있는 해안스님. 카메라가 움직이자 그 옆자리에 보이는 박 목사.
그를 보고 놀라는 네충텐파.

해안스님 (영어)
놀라지 마십시오. 괜찮습니다. 저의 친구입니다.

편안하게 네충텐파를 진정시키는 해안스님.

네충텐파 (영어)
무슨... 일입니까?

박 목사 (영어)
급한 일로... 김제석을 알고 싶어서 스님을 찾아왔습니다.

네충텐파 (영어)
...김제석...

해안스님 (영어)
잠깐만 시간을 내주시겠습니까?

네충텐파에게 진지한 표정으로 합장을 하는 박 목사.

109. 원주 근처 도로 1. 오후

도로를 달리는 체어맨과 카니발 그리고 맨 뒤에 따라가는 박 목사의 차.

네충텐파 (영어)

85년이었습니다. 스승님을 뵈었을 때가...

박 목사 (영어)

...스승?

네충텐파 (영어)

그는... 미륵입니다.

박 목사

...!

네충텐파 (영어)

선으로 악을 이기며 중생을 자유롭게 해주실 화신. 미륵불.

세상을 밝히실 등불이지요. 분명 보았습니다. 그...

(자신의 손을 들어보며)

그 아름다운 그의 12지. 그리고 그의 향기.

한국에 등불이 살아 계신다는 것은 아주 복된 일입니다.

박 목사 (영어)

살아 계시다니? 죽었습니다. 김제석은...

네충텐파 (영어)

아니요. 살아계십니다.

박 목사 (영어)

네? 그는 1899년생입니다. 그럴 리가 없습니다.

네충텐파 (영어)

보통 대승불교에서 성불은 선의 극치를 뜻하지요.
하지만 티벳 불교인 이 밀교는 일본으로 넘어가,
여러 가지 변형들이 생겨나는데...
그들에게 있어 성불은... 육체를 이기는 것입니다.

박 목사 (영어)

육체를 이기는 것?

네충텐파 (영어)

인간 한계의 마지막. 바로 불사입니다. 죽지 않는 것!

박 목사 (영어)

...!

110. 갈대밭. 해질녘

금화를 어깨에 메고 광활한 갈대밭으로 들어가는 나한. 한 손에는 삽이 들려 있다.
아무런 감정이 보이지 않는 나한의 옆모습.
그리고 의외로 침착한 금화의 얼굴.

111. 원주 근처 도로 2. 해질녘

갓길에 세워져 있는 체어맨. 그 뒤 카니발 앞에 모여 웅성거리는 티벳 스님들.
체어맨의 헤드라이트를 등지고 네충텐파의 휠체어를 밀어주고 있는 박 목사.

박 목사 (영어)
스님, 그럼 경전에 나오는 이 뱀이란 건... 도대체 뭡니까?

잠시 후, 네충텐파는 티벳어로 잔잔히 말하기 시작한다.

네충텐파 (티벳어)
이것이 있기 때문에 저것이 있고,
이것이 태어남으로 저것이 태어나고,
이것이 멸하므로 저것이 멸한다.

그리고 그의 말을 바로 통역해주는 해안스님.

네충텐파 (티벳어)

사바세계 모든 것은 연결되어 있습니다.

낮은 땅에서 지렁이가 태어나면,

그 위 높은 곳에 그것을 잡을 매가 태어나는 법이지요.

박 목사

...?

네충텐파 (영어)

신의 뜻은 참 오묘하고도... 잔인합니다.

끼익~ 휠체어의 수동 브레이크를 잡는 네충텐파. 뒤돌아 박 목사를
올려다본다.

네충텐파 (영어)

100년 뒤 등불과 같은 곳에서 그것을 꺼뜨릴 뱀이 태어난다.

박 목사

...

네충텐파 (영어)

미륵을 위해... 그렇게 예언을 해드렸습니다.

112. 갈대밭. 해질녘

빽빽한 갈대밭 가운데 땅을 파는 소리가 들린다.
묵묵히 땅을 파고 있는 나한.
묶인 채 바닥에 쓰러져 있는 금화. 그 위에 계속 들리는 나한의 진언.

113. 원주 근처 도로 2. 저녁

길가에 박 목사를 남기고 떠나는 체어맨과 카니발.

cut to 체어맨 안
떠나는 체어맨에 앉아 있는 네충텐파. 뭔가 초조한 표정으로 눈을 감는다.

cut to 원주 근처 도로 2
박 목사 옆으로 다가오는 요셉.
경전을 든 채 떠나는 체어맨을 바라보는 박 목사.

flash back
경전의 숫자를 보고 고개를 흔드는 네충텐파.

네충텐파 (영어)

모르겠습니다. 이 숫자들은...

박 목사 (영어)

당신이 모른다니요! 네? 다시 한번 보십시오!

고개를 흔드는 네충텐파와 곤란한 표정의 해안스님.

네충텐파 (영어)
뱀의 숫자라니... 이건... 그밖에 모를 겁니다. 모르겠습니다.

114. 시내도로 / 회상 몽타주. 저녁

시내의 성탄절 전야 풍경들. 즐겁게 모여 있는 사람들.
조용히 운전을 하고 있는 박 목사와 요셉.
박 목사의 얼굴 위로 천천히 겹쳐 지나가는 기억들.

flash back

총무스님
그는 신이라 불리던 사람입니다.

해안스님
집착과 욕망... 그게 악인 겁니다.

네충텐파 (티벳어)
이것이 태어나기에 저것이 태어나고...

해안스님
...이것이 멸하므로 저것이 멸한다...

flash back

경전의 구절들과 숫자들. 그리고 박 목사 수첩의 메모들.

cut to

빨간 신호에 멈추는 박 목사의 차.
차창 밖 풍경을 보고 있던 요셉이 말한다.

고요셉

에휴... 성탄절이라 다~들 신났네요.

박 목사

...!

천천히 요셉을 바라보는 박 목사.
그리고 그를 의아하게 쳐다보는 요셉.

박 목사

요셉아... 크리스마스가 즐거운 날이니?

고요셉

그...렇지요... 아기 예수가 태어나신 날인데...

박 목사

...매년 성탄절이면... 난 이런 생각을 했어.
사실 이날은 너무 슬픈 날이라고...

고요셉

무슨 말씀이세요?

박 목사

아기 예수가 태어나기 위해...
베들레헴에 엄청 많은 아이들이 죽어났어.
유대인의 왕이 태어난다는 동방박사의 예언을 듣고...

고요셉

...!

박 목사

헤롯왕이 심히 노하여 사람들을 보내
베들레헴과 그 모든 지역의 사내아이를
그때 표준으로 두 살부터 그 아래로 전부 죽이니...

고요셉

마태복음 2장 16절...

신호가 파란색으로 바뀌고 차들이 움직이기 시작하지만, 움직이지
않는 박 목사의 차.
해안스님의 지도를 꺼내 펼치는 박 목사.

박 목사

서쪽의 제천. 동쪽의 태백. 북쪽의 정선 그리고 남쪽의 단양.
기준이 있었던 거야. 기준이... 김제석의 고향.

자세히 보니 가운데 영월이란 글씨가 보인다.

고요셉

강원도 영월!

박 목사

같은 곳에서 100년 뒤 등불을 해칠 뱀이 태어난다.

고요셉

등불의 태토에 뿌려진 뱀들...

박 목사

1899년. 김제석이 영월에서 태어났지. 그리고 100년 뒤...

고요셉

1999년...

박 목사

같은 곳 영월에서 그를 해칠 뭔가가 태어난다고 믿은 거야.

고요셉

하...!

박 목사

그리고 뱀이 첫 피를 흘리는 날... 소녀의 몸에 움튼 뱀...

고요셉

...?

박 목사

첫 월경...

flash back
금화의 학적기록부 사진 옆에 살짝 보이는 주민등록번호.

박 목사

99년 영월에서 태어난 아이들... 그리고 여자.

115. 갈대밭. 저녁

묶인 채 가만히 있는 금화. 그 앞에 깊은 구덩이를 바라본다.
금화에게 공손히 절을 한 뒤 팥과 부적을 조심스럽게 꺼내는 나한.
조용히 진언을 계속 읊조리며 떨리는 손으로 금화의 입에서 테이프를
뜯어낸다.
놀랍게도 아주 침착하게 말을 꺼내는 금화.

금화

근데 있잖아요...

나한

...

금화

나... 죽는 건 상관없는데... 이유는 알면 안 돼요?

나한

~뱀의 눈은 아름답고 뱀의 혀는 달콤할 것이니~

금화

나도 그렇게 살고 싶은 마음은 없어요. 이유만 알게요.

나한

(금화를 바라보며 공손하게)

죽는 게 끝이 아닙니다. 새로운 시작입니다.

당신은... 악으로 태어났습니다.

다음 생에는 부처로 태어나길 간절히 기도하겠습니다.

나한은 금화의 입에 팥을 넣으려고 한다.

금화

아저씨... 그럼 부탁이 하나 있어요.

116. 영월경찰서 / 시내도로 옆. 저녁

박 목사와 통화를 하는 황 반장.

국밥을 먹고 있는 조 형사가 황 반장을 쳐다본다.

황 반장

뭔 소립니까? 또...

길가에 차를 세우고 황 반장과 통화 중인 박 목사.
경전의 숫자를 메모지에 적고 있는 요셉.

박 목사

반장님, 그럼 한번만 자료를 찾아보시라고요! 네?
김철진이 피해자 생년이 99년이고... 영월 출생 아닙니까?

황 반장

아니 이 사람아... 제발 그만 좀...

박 목사

(소리치며)
야!! 제발 찾아보라고...!!

황 반장

...

박 목사

...

굳어진 표정으로 책상에 앉아 자료를 확인하는 황 반장.
책상 위 서류 중에 김철진 피해자의 신상을 확인한다. 99년생 영월
출생이다.

길가의 차 보닛 위에 박은혜가 준 자료를 펼쳐 확인하는 박 목사.

박 목사

그리고... 같은 소년원 출신인 전상범.

99년 영월 산후조리원 화재 사건.

또... 캐나다에서 강도 살해한 뒤 자살한 채태근...

이들의 피해자들 대부분이... 99년생 영월 출신 여자아이들이에요.

황 반장은 책상 위에 놓여 있는 팥 관련 사건의 피해자들을 손으로
짚어 가며 확인한다.
'2008년 익사 초등학생 99년생', '2011년 6학년 자살 추정으로 사건
종료 99년 영월 출생'

황 반장

...!

자료를 움켜쥐며 말하는 비참한 표정의 박 목사.

박 목사

그렇게 10년 넘게 조금씩 전부 죽여간 거라고요! 마치 사고처럼...
태어날 때부터... 심지어 이민 간 사람들까지 따라가서...

117. 도솔터널 / 금화의 집_ 헛간 안. 저녁

차가운 표정으로 운전을 하고 있는 나한. 비장감이 섞여 있는 눈빛.

flash back 갈대밭

나한을 올려다보는 금화의 얼굴.

금화

저희 집에 정말 귀신이 살아요... 쌍둥이 언닌데요...

동작을 멈추는 나한. 진지한 눈빛으로 계속 말하는 금화.

금화

저랑 같이 태어났으니까... 그거... 언니도... 악이네요?

나한

...!

금화

아저씨... 언니도 죽여주세요.
(눈물이 고이며)
다시... 태어나게... 다음엔 정말 사람으로 태어나게...

/ 금화의 집, 헛간 안

서글픈 울음소리가 들리는 어두운 헛간. 웅크리고 울고 있는 그것.
땅속에서 뭔가를 꺼내 만지작거린다. 손에 쥐고 있는 낡고 녹슨 라이터.

/ 도솔터널

터널을 빠르게 통과하는 나한의 자동차.

118. 영월경찰서 강력계. 밤

책상 앞에 우두커니 서 있는 황 반장. 국밥을 먹던 조 형사가 의아하게
쳐다본다.

조 형사

반장님... 식사 마저 안 하세요?

황 반장

(입을 훔치며)

으...응...

황 반장은 말없이 테이블로 돌아와 밥을 먹는다.
물을 마시며 일어나는 조 형사.

황 반장

조 형사... 지금... 그... 99년생이면 몇 학년이지?

조 형사

보자... 우리 조카가... 지금 중1이니깐... 중3이겠네요.

황 반장

영월에... 여자 중학교 3학년이... 전부 몇 명인지 좀 알아봐.

조 형사

네? 중3요?

119. 시내도로 옆. 밤

박 목사에게 경전을 가지고 달려오는 고요셉.

고요셉
전부 810개예요. 숫자가...

박 목사
여든하나의 뱀의 숫자니깐... 전부 81로 나누면 10개...

고요셉
(숫자에 99와 2를 적어 넣으며)
네... 주민등록번호예요.

박 목사
...!

고요셉
처음 봤을 때부터 주민번호 같았는데...
왜 열 자리밖에 없을까 생각했어요. 맨 앞에 출생년하고...
뒤 첫 자리 여성형. 그건 정해진 거니... 그걸 빼면... 10개.

박 목사
그래서 경전이 2000년에 완성된 거야.
모든 아이들의 주민번호를 다 확인한 뒤...
영월 출생의 99년 여자아이들... 81명. 81마군.

120. 영월경찰서 강력계. 밤

말없이 계속 국밥을 먹고 있는 황 반장. 그리고 책상 앞에 앉아 있는
조 형사.

조 형사
여중이... 총 3개. 중3을 다 더하면... 38명요. 이거밖에 안 되나?

황 반장
(밥을 계속 먹으며)

...중2는?

조 형사
네?

황 반장
...

조 형사
중2는... 전부... 87명요.

황 반장
1학년은...

조 형사
...79명요.

황 반장

우억...

갑자기 황 반장은 쓰레기통으로 달려가 먹던 것을 뱉어낸다.

놀라는 조 형사.

황 반장 너머로 살짝 보이는 커다란 경찰 게시판. 뭔가 빼곡히 붙어 있다.

121. 시내도로 옆 / 영월경찰서. 밤

차에 타며 황 반장과 통화를 하는 박 목사.

박 목사

이금화... 99년 영월 출생. 아마 지금 거기일 겁니다.

황 반장

일단 출발하세요. 주소 알려드리겠습니다. 그리고... 목사님.

박 목사

네...?

황 반장

(망설이며)

전부... 아... 아닙니다.

122. 시내도로. 밤

다시 움직이는 박 목사의 차.
성탄절의 번잡한 도심과 막히는 도로.
적막이 흐르는 박 목사의 차 안.

123. 영월경찰서, 강력계_ 실내/밤

영문을 모르는 조 형사는 의아하게 황 반장을 바라본다.
전화기를 든 채 멍하니 서 있는 황 반장. 건너편에 보이는 게시판
쪽으로 천천히 걸어간다.

124. 박 목사 노래 몽타주_ 실내/밤

/ 박 목사의 차 안
밖으로 보이는 시내 풍경. 그리고 뒷좌석에 펼쳐진 김제석과
사슴동산의 자료들.
경전을 손에 든 요셉은 룸미러에 걸린 십자가를 바라본다. 그때
들려오는 박 목사의 기도.

박 목사

여호와여... 우리의 하나님이여...
우리의 원수에게서 우리를 건지시고
일어나 치려는 자에게서 우리를 높이 드소서.

악을 행하려는 자에게서 우리를 건지시고...

박 목사를 바라보는 요셉.
운전을 하며 무표정으로 잠잠히 기도를 하는 박 목사.

박 목사
~피 흘리기를 좋아하는 자들에게서 우리를 구원하소서~

/ 영월경찰서, 강력계
커다란 게시판을 보고 있는 황 반장의 뒷모습. 각종 광고물과
공지사항으로 실종 전단지들이 가려져 있다. 오래된 것부터 최근
것까지 꽤 많이 붙어 있다.
천천히 게시판으로 다가가, 광고물들과 공지사항들을 떼어내는 황 반장.
게시판에 가득히 붙어 있는 실종 전단지. 자세히 보니 모두 99년생
영월 출신 여자아이들이다.

박 목사 (V,O)
~그들이 우리의 생명을 해하려 엎드려 기다리고
강한 자들이 모여 우리를 치려 하오니... 여호와여...
이는 우리의 잘못으로 말미함이 아니오
우리의 죄로 말미함도 아니로소이다~

/ 박 목사의 차 안
잠잠히 계속되는 박 목사의 기도. 한 줄기 눈물을 흘린다.

박 목사

~우리가 허물이 없으나 그들이 스스로 달려와 준비하오니...
주여... 우리를 도우시기 위해 깨어 살펴주소서~

125. 금화의 집_ 뒷마당. 밤

밤안개가 자욱한 금화의 집. 점점 들려오는 개 짖는 소리.
나무 위 까마귀의 깜박이는 눈동자.
헛간 앞에 서 있는 나한. 이상하게 고요한 헛간을 바라본다.
더이상 짖지 않고, 그르렁거리며 나한에게 길을 터주는 개들.

박 목사 (V.O)

~주의 얼굴을 우리에게서 숨기지 마시고
주의 종을 노하여 버리지 마시고...
주는 우리의 도움이 되셨나이다.
우리의 구원의 하나님이시여...
우리를 버리지 마시고 떠나지 마소서~

나한은 바닥에 있는 벽돌을 집어 들고 천천히 헛간으로 다가간다.
퍽! 잠겨 있는 자물쇠를 부수는 나한.
끼이익~ 문을 열고 들어가자 악취로 물러난다.

나한

으윽...

다시 천천히 헛간 안으로 들어가는 나한.

126. 금화의 집_ 헛간 안. 밤

좁고 어두운 헛간 구석. 옆쪽 작은 창으로 달빛을 받으며 앉아 있는 그것.
자세히 보니 가부좌를 틀고 나한을 바라보고 있다.
스스슥~ 하며 나한의 다리 밑을 지나가는 뱀.
얼어붙은 채 가만히 서 있는 나한. 천천히 고개를 들어 그것을 바라본다.
그것은 두 손을 천천히 움직이며 아미타구품인(수인)을 만들며 기이한
목소리로 말한다.

그것

아 이 야 왜 이 제 야 온 것 이 냐 너 무 오 래 걸 리 었 다

그것의 목소리가 들리자 나한의 목덜미에 털이 바짝 선다.

나한

누구냐... 너는...

그것

나 는 울 고 있 는 자 니 라

그것은 다시 천천히 두 손을 움직이며 시무외인을 만들며 이어 말한다.

그것

두 려 워 하 지 마 라 나 는 너 를 기 다 리 고 있 었 다
서 둘 러 라 너 무 많 은 피 를 흘 리 었 다

얼어붙은 채 가만히 있는 나한. 노끈을 움켜쥐고 그것에게 한 발짝 더 다가간다.
어느새 그것의 옆으로 다시 돌아온 뱀. 캬~ 나한을 위협한다.
양손을 그 반대로 뒤집어 계속 말하는 그것.

그것

보 이 느 냐 느 끼 지 못 하 느 냐 내 가 너 의 젖 이 라

나한

하... 하...

그것

마 음 을 열 어 라 내 가 너 를 취 하 리 라

가만히 눈을 감는 그것.
그리고 입김을 내며 크게 호흡하는 나한.

나한

(숨을 내쉰다)

후...

그것

(숨을 들이마시며)

스읍~

그것은 천천히 눈을 뜨고 고개를 갸우뚱하며 나한을 묘하게 바라본다.
두려운 표정의 나한. 그때 그 위로 들리는 노랫소리. 작게 허밍으로
들려온다.

그것

~우리애기 하얀양도 엄마품에 자장자장 추운겨울 눈보라야~

놀라는 나한. 어머니가 불러주던 자장가다. 그것은 작게 노래를 계속
부른다.

그것

~우리집에 오지마라 어둔밤아 물러가라 우리집에 오지마라~

툭! 하고 노끈을 떨어뜨리는 나한. 일그러지는 그의 얼굴.

나한

허허헉...

잠시 후 노래가 끝나자 다시 천천히 왼손 검지를 오른손으로
움켜잡으며 지권인을 만드는 그것.

그것

슬 픈 눈 을 가 진 지 혜 자 야 검 은 색 도 흰 색 도 빛 도 어 둠 도
너 와 나 는 하 나 다 우 리 는 어 둠 속 흰 색 이 다

나한

(무릎을 꿇으며)

호흐흑...

눈물을 흘리며 말하는 나한.

나한

무엇입니까... 당신은 무엇입니까...

그것은 다시 손 모양을 바꾸어 전법륜인을 만든다.

그것

나 는 너 희 들 이 피 흘 릴 때 같 이 울 고 있 는 자 니 라

나한

...

그것

진 리 를 보 아 라 눈 을 떠 라 내 가... 그 이 다

나한

무엇을... 원합니까...

천천히 양 손을 펴서 열두 개의 손가락을 보여주는 그것.

그것
니 가 아 버 지 라 부 르 는 그 것 의 표 식 을 확 인 하 라

나한
어...떻게... 해야 합니까...

천천히 왼손 등을 무릎에 놓고, 오른손 검지로 바닥을 강하게 가리키며
말하는 그것.

그것
뱀 을 잡 아 라!

나한
...!

그것
니 가 아 버 지 라 부 르 는 자 를 죽 여 라! ...으으윽...

순간 기력을 다한 듯 바닥에 쓰러지는 그것.
벌벌 떨며 긴 팔을 뻗어 나한을 만지려 한다.

나한
(고개를 저으며 뒤로 물러난다)
아니에요... 절대... 아버지는 등불이십니다.

127. 금화의 집_ 뒷마당 / 헛간 안. 밤

헛간에서 뒤로 기어 나오는 나한.
겨우 일어나 도망친다.

cut to 헛간 안
호흡을 하며 바닥에 쓰러져 있는 그것.
오들오들 떨며 힘을 잃어가는 그것의 눈빛.

128. 금화의 집 앞. 밤

금화의 집을 뒤로하고 빠른 걸음으로 뛰어가는 나한.

flash back

그것
왜 이제야 온 것 이냐

cut to
가쁜 숨을 내쉬며 뛰는 나한.

flash back

그것
너 무 많 은 피 를 흘 리 었 다

flash back

역광으로 보이는 김제석.

김제석

너희 짐승들아. 별이 되어라.
너는 나의 별이 될 것이고 세상의 별이 될 것이다.

flash back
여섯 개의 손가락을 보이며 말하는 그것.

그것

지 혜 자 여 가 라... 표 식 을 확 인 하 라

cut to
누워 있는 현재의 비쩍 마른 김제석.

129. 영월 지방도로. 밤

빠르게 달리는 나한의 자동차.
어두워서 잘 보이지 않는 나한의 표정.

나한

아니야... 아니...야 아니야...

158

130. 건널목_ 실외/밤

땡땡땡. 철길의 붉은 신호등. 그 앞으로 빠르게 지나가는 기차.
그 앞에 서 있는 박 목사의 차.

고요셉
전부... 몇 명이나 죽었을까요?

대답 없는 박 목사. 기차의 후미가 사라지는 것을 보고 있다.

박 목사
요셉아. 그놈이다... 정나한.

건너편에 보이는 나한의 차.
철길을 사이에 두고 마주보고 있는 두 대의 자동차.
나한의 자동차가 움직이기 시작하자, 순간 끽~ 하고 핸들을 틀어 길을
막는 박 목사.
멈추는 나한의 차. 그리고 차에서 내려 나한에게 다가가는 박 목사.
똑똑 박 목사가 창문을 두드리자, 잠시 후 살짝 열리는 창문. 식은땀을
흘리는 나한.

박 목사
너 이금화 어떻게 했어?

나한
...

박 목사

말해라. 정나한...

나한

(박 목사를 바라보며)

...

박 목사

니들... 지금 뭔 짓 하는 줄 알아? 전부... 김제석한테 속은 거야.

(표정이 일그러지며)

너네... 죄 없는 애들을 몇 명이나 죽인...

순간 부앙~ 액셀을 밟아버리는 나한. 급출발하는 나한의 차.
퍼벅! 박 목사 차 옆을 스치고, 아슬아슬 도로 옆으로 통과한다.

131. 도솔터널. 밤

최고 속력으로 터널을 달리는 나한의 자동차.
복잡한 표정의 나한. 그때 룸미러로 금화의 얼굴이 보인다.
뒷좌석에서 손발이 묶인 채 나한을 바라보고 있는 금화.
터널에서 나오자마자 끼익~ 하고 갑자기 갓길에 멈추는 나한의 차.

나한

우억...

차에서 뛰어나와 토하기 시작하는 나한. 무너지는 나한의 표정.

나한
허허헉... 허허헉...

그때 나한의 뒤로 지나가는 전방의 군부대 차량들. 야간훈련 중이다.
고개를 저으며 눈물과 콧물로 범벅이 되는 나한의 얼굴.

〈F.O〉

132. 서울 명동 근처. 밤

Insert 성탄절의 붐비는 명동 거리. 그 사이에 보이는 체어맨.
눈을 감고 있는 네충텐파. 밖이 분주해지자 천천히 눈을 뜬다.

해안스님 (티벳어)
스님... 불편해 보이시네요.

네충텐파 (티벳어)
네... 편치 않습니다.

해안스님
...!

네충텐파 (티벳어)
스승님께 예언해드린 그 순간부터... 30년 동안 불편했습니다.

해안스님 (티벳어)

그가 부처가 되었다고 하지 않았나요?

뭔가를 고민하는 네충텐파.

한 손의 손등과 다른 손의 손바닥을 천천히 겹치며 말한다.

네충텐파 (티벳어)

극선과 극악은 아주 위험하게 붙어 있습니다.

해안스님

...

네충텐파 (티벳어)

선에 이르는 길은 아주 멀고 고통스럽지만...

악으로 떨어지는 길은 너무나도 가깝고 쉽지요.

해안스님

...

네충텐파가 한 손의 손등을 치우니 손바닥을 편 손이 남아 있다.

네충텐파 (티벳어)

스승님께서 제 예언을 들으신 그 순간, 그... 눈을 보았습니다.

133. 녹야원_ 축사. 밤

어두운 헛간으로 걸어 들어오는 김동수. 조용히 코끼리 앞에 멈추어 선다.
땀에 젖은 몸에서 올라오는 김. 김동수는 코끼리의 눈을 잔잔히 바라본다.
주름 속에 작게 보이는 코끼리의 누런 눈.
두려운 듯 코끼리의 눈을 바라보는 김동수. 그때 밖에서 들리는 차 소리.

134. 녹야원_ 사택 앞. 밤

차에서 내려 사택으로 들어가는 나한.
문밖으로 나와 인사하는 명희를 그냥 지나친다.

135. 녹야원_ 안방. 밤

시체처럼 누워 있는 김제석.
이불에 덮인 그의 손을 내려다보며 옆에 서 있는 나한.

나한

아버지... 아버지, 제 말 들리시나요?

김제석

...

나한

뭐라 말 좀 해주세요. 예전처럼...

시체 같은 모습으로 숨소리만 내고 있는 김제석.
나한은 이불에 덮여 있는 김제석의 손에 천천히 자신의 손을 가져간다.

김동수

뭔 일이에요? 이 시간에... 병균 옮습니다.

어느새 나한에게 다가오는 김동수.

나한

...아버지를 죽이라고 했습니다.

김동수

네? ...누가요?

나한

...울고 있는 자라 했습니다. 그 아이의 집에...

김동수

저번에 말했던 그건가요?

나한

그곳에... 출생신고를 하지 않은 쌍둥이 언니가 있었어요.

김동수

하... 참...

(묘한 미소)

나한

마치... 저를 기다리고 있던 거 같았습니다.

김동수

울고 있는 자... 하... 그래서요? 그냥 왔습니까?

나한

...보라고 했습니다. 표식을 확인하라고 했어요.

묘하게 나한을 바라보는 김동수. 나한은 천천히 이불을 들어 김제석의 손을 확인한다.

앙상한 그의 다섯 개의 손가락. 놀라는 나한. 그리고 그 모습을 바라보는,

김동수

광목님, 그게 바로 뱀의 혀입니다.

나한

...

김동수

그 혀에 속으신 거라고요...

136. 녹야원_ 축사. 밤

축사 구석에서 뭔가를 꺼내는 김동수. 낡은 캐비닛을 열어보니 오래된
사냥총이 보인다.
안쪽에서 코끼리를 바라보고 있는 나한. 그 옆으로 다가가는 김동수.

김동수
고대 인도에서는... 왕에게 코끼리를 선물했다고 하네요.

나한
...

김동수
저... 코끼리 눈을 한번 봐봐요. 어떤가요?

코끼리의 눈을 지그시 바라보는 나한. 지쳐 보이는 작은 코끼리의 눈.

나한
그냥... 그냥 추워 보이네요.

묘한 웃음으로 그런 나한을 바라보는,

김동수
코끼리의 눈이 무섭게 느껴지면 마음이 악한 거라고...
힌두의 승려들이 매일 들여다보라고... 왕에게 선물을 했답니다.

나한

...

김동수

배송비까지 9천만원 들였는데... 참...

순간 탕! 하고 코끼리를 쏴버리는 김동수.
히힝~ 퍽! 하고 코끼리가 쓰러지는 소리가 들린다. 놀라는 나한.
바로 나한에게 총을 쏘는 김동수. 탕!

137. 녹야원 사택 앞. 밤

탕! 어느새 사택으로 들어가던 박 목사. 축사에서 들리는 총소리에
놀라 동작을 멈춘다.

138. 녹야원, 축사_ 실내/밤

피가 흐르는 배를 잡고 놀란 눈으로 김동수를 올려다보는 나한.

나한

하... 하... 왜...

김동수

너는 왜... 코끼리의 눈이 두렵지 않은 거지...

139. 녹야원_ 안방. 밤

꽃들 사이에 누워 있는 늙은 노인 김제석.
천천히 김제석에게 다가가는 박 목사.

박 목사

김제석... 니가... 정말 신이 된 사람이냐...

그때 또르르 하고 호스로 떨어지는 소변 줄기.

박 목사

하... 이게 뭐야... 응? 내가 할 말이 많단 말이야...

시체와 다름없이 누워 있는 초라한 김제석. 아무 말이 없다.

박 목사

진짜라면서... 응? 신이라면서... 네? 이럴 수는 없잖아요.
가만히 있지 말고... 뭐라고 말 좀 해봐요...

김제석

_ㄲ..._

꿈틀거리며 뭐라 말하려고 하는 김제석.
그때 누가 방으로 다가오는 소리가 들린다.

cut to

안방 문을 열고 들어오는 김동수. 아무도 없는 조용한 안방.
김동수는 꿈틀거리는 김제석에게 다가가 그를 내려다본다.

김제석

...하 ...하

cut to

감정을 억누르며 씁쓸히 의료장비를 제거하는 김동수.

김동수

그래... 너도 고생 많았다...

삐~ 하고 울리며 멈추는 심박동기.

cut to

서재 뒤에 숨은 채 김동수의 말을 듣고 있는 박 목사.

140. 녹야원_ 사택 앞. 밤

겉옷을 가져와 김동수 앞에 서는 명희.

명희

가지 마세요. 위험하십니다...

김동수

하... 이제 찾았습니다.

옷을 입혀주는 명희를 지그시 바라보는 김동수. 천천히 명희의 얼굴을
쓰다듬는다.

김동수

우리 명희... 많이 늙었네.

cut to

합장을 하며 고개를 숙이는 명희.

그녀를 뒤로하고 떠나는 김동수의 세단.

숲속 사슴 몇 마리가 조용히 나가는 김동수의 차를 바라본다.

cut to 김동수의 차 안

보조석에 보이는 사냥총과 금화의 학적기록부.

묵묵히 운전을 하는 김동수의 뒷모습.

141. 녹야원_ 축사. 밤

어두운 헛간에서 들려오는 나한의 숨소리.

나한

하아... 하아...

배를 잡고 일어서려 하지만, 다시 쓰러지는 나한.
어느새 앞에 서 있는 박 목사를 올려다본다.

박 목사

그런 눈으로 쳐다보지 마라...

나한

하아... 하아...

박 목사

고통스럽게 죽어라... 그리고 니들에게... 용서도 구원도 없을 거다.

나한

빨리... 가야 해요... 하아...

박 목사

...

나한

제발... 그놈을... 따라가야 해요.

피 흘리는 나한을 안쓰럽게 내려다보는 박 목사.

박 목사

하... 새끼...

cut to

헛간으로 들어오는 명희.

남아 있는 나한의 핏자국.

142. 녹야원_ 입구. 밤

켜지는 박 목사 차의 헤드라이트.

부앙~ 하고 정문을 부수고 들어오는 요셉.

멀리 앞에서 나한을 부축한 채 나오고 있는 박 목사가 보인다.

143. 녹야원 근처 도로. 밤

숲길을 달리는 박 목사의 자동차.

박 목사는 뒷좌석에 타고 있는 나한을 룸미러로 바라본다.

박 목사

그냥 아무 죄 없이 태어난 불쌍한 애들만 있었던 거야...

뱀 같은 건... 처음부터 없었어...

나한

(피 흘리는 배를 움켜잡고)

하아...

박 목사

니가 가장 고통스러운 건... 니들이 아비라 부르던 그것이...
그냥 고깃덩어리인 거야... 왜, 아니야?

나한

그가... 하... 그를... 죽이라고 했습니다.

고개를 돌려 나한을 바라보는 박 목사.

144. 금화의 집_ 헛간 안. 밤

어두운 헛간 안에 쓰러져, 오들오들 떨고 있는 그것.

145. 도솔터널 근처 어딘가. 밤

팔과 다리가 묶인 채 누워 있는 금화.
온 힘을 다해 손에 묶인 밧줄을 풀려고 한다.

146. 산간도로 1. 밤

어딘가로 달려가는 황 반장의 경찰차.
반대편에 지나가는 김동수의 세단.

cut to 김동수의 차 안

묵묵히 운전하고 있는 김동수의 서늘한 뒷모습.

147. 도솔터널 근처 어딘가. 밤

도로로 겨우 기어 올라오는 금화.

주변을 살피며 집 쪽으로 걸어간다. 빨라지는 금화의 발걸음.

금화

안 돼... 죽지 마... 내가 잘못했어. 제발... 죽지 마.

148. 산간도로 2. 밤

도로를 가득 메우고 지나가는 훈련 중인 군부대. 전차와 군용차들이
도로를 지나간다.

그 가운데 경광봉을 흔들며 도로를 통제하고 있는 한 명의 군인.

그 앞에 멈춰서는 김동수의 차.

김동수는 보조석의 총을 밑으로 숨기고 무심한 표정으로 경광봉을
흔드는 군인을 바라본다.

위장 크림을 바른 경직된 얼굴의 일등병. 입김을 내뿜으며 추워 보인다.

잠시 후 군용차들이 어느 정도 멀어지고 김동수는 기특한 표정으로
일병에게 경례해준다.

김동수를 바라보는 일병. 어두워 표정이 잘 보이지 않지만, 잠시 후
벅찬 표정으로 김동수에게 절도 있게 경례를 한 뒤 사라진다.

작게 웃음 짓는 김동수. 그때 쿵! 하고 흔들리는 김동수의 세단.
뭔가 하고 차에서 내리는 김동수.

박 목사

어이쿠... 죄송합니다. 이걸 어째...

능글스럽게 김동수에게 다가오는 박 목사. 김동수의 차 뒤를 박은
박 목사의 차.

박 목사

괜찮으십니까?

김동수

(묘하게 바라본다)

...

박 목사

다친 데 없으세요? 하... 이거 참... 브레이크를 갈던지 해야지...
BMW가 후륜이어서 눈길에 아주 취약해요... 독일 차가 이게...

능청떠는 박 목사를 바라보며 미소를 띠는 김동수.

김동수

누구십니까? 당신...

박 목사

(명함을 꺼내며)

이거... 죄송하게 됐습니다.

박 목사의 명함을 보고 천천히 박 목사를 쳐다보는 김동수.
박 목사도 안경을 벗으며 김동수의 얼굴을 유심히 쳐다본다.

김동수

괜찮으니깐 그냥 가세요.

김동수는 명함을 받지 않고, 자신의 차로 돌아간다.

박 목사

저기요... 저기요... 나중에 또 딴소리 하는 거 아닙니까? 네?
(그냥 대답 없이 차에 타려는 김동수를 향해)
어이...! 김 풍사 김제석!

순간 멈추는 김동수. 천천히 박 목사를 돌아본다. 무표정한 김동수의
얼굴. 서늘하다.
박 목사도 고개를 갸우뚱하며 야릇한 미소로 그에게 답한다.
잠시 후 다시 차에 타고 멀어지는 김동수.
박 목사의 옆으로 다가오는 요셉.

박 목사

하... 맞네.

고요셉

그럴 리가...

박 목사

꺼지지 않는... 훗... 늙지 않는 등불이라...

flash back 녹야원 안방

꿈틀거리며 뭔가를 말하려는 김제석. 그에게 가까이 다가가는 김동수.

김제석

스승님... 이제... 그만 죽여주세요.

안방 구석에 숨어 있는 박 목사. 들리는 김제석의 목소리.

김동수

그래... 너도 고생 많았다... 정말 고생 많았다...

cut to

교도소 액자 속에 보이는 김제석의 사진. 같은 줄 교도소 간부 옆의 김동수의 얼굴.

일본 신문에 있는 수염이 덥수룩한 김제석의 모습.

cut to 김동수의 차 안

운전을 하고 있는 현재의 김동수. 전부 동일한 얼굴이다.

cut to 산간도로 2

멀어지는 김동수의 차를 바라보는 박 목사의 표정.

박 목사

용이... 뱀이 됐네...

149. 산간도로 3 / 금화의 집_ 헛간. 밤

운전을 하고 있는 김동수의 뒷모습.
핸들을 잡은 김동수의 손. 여섯 개의 손가락이다. 그리고 혼자
나지막하게 말하는,

김동수

피 냄새가 나네요.

어느새 어두운 뒷좌석에 타고 있는 나한. 김동수의 손가락을 보고 있다.

나한

말해봐... 뭐야 넌...

김동수

말하지도 말고 움직이지도 마라. 니 내장과 폐도 거의 다 끝났다.

쿨럭! 피를 토하는 나한. 침착하고 무거운 목소리로 계속 말하는,

김동수

니들이 아버지라 부르던 그도... 내게 평생을 바친 제자였다.

나한

으...

김동수

듣기만 해라. 나는... 등불이다. 너희는 나를 지키는 별들이고...
너희가 한 일을 슬퍼하지 마라. 군인에게 살생은... 애국이라.

나한

닥쳐... 으윽...

김동수

시간은 인간들을 허둥거리며 살다가 죽게 만들지.
하지만 난... 시간을 이겼다. 꺼지지 않는 불이다.

분노의 눈으로 그의 뒷모습을 바라보는 나한.

김동수

설득하는 것도, 구걸하는 것도 아니다.
나는 앞으로 세상을 위해 할 것들이 많다. 기회를 주는 것이다.
짐승아... 나를 섬기라...

나한

아니... 넌 그냥... 살고 싶은 포식자야...

순간 나한은 김동수의 목을 강하게 움켜잡는다.

cut to 금화의 집, 헛간
쓰러져 있는 그것. 순간 눈을 뜬다.

cut to 산간도로 3
고통스러워하는 김동수.

김동수
으...윽

달리던 김동수의 차는 비틀거리며 산간도로를 내려간다.

나한
(일그러지는 얼굴에 눈물을 흘리며)
니 목이... 백 개라도... 부족하다...

그의 목을 비트는 나한. 그리고 눈물이 고인 나한의 눈동자.

cut to 금화의 집 헛간
쓸쓸히 혼자 나지막하게 말하는 그것.

그것
슬 픈 눈 이 뱀 의 목 을 비 틀 것 이 고

cut to 산간도로 3

비틀거리는 김동수의 차는 급커브 길에서 쾅! 하고 난간에 부딪쳐

굴러간다. 쾅! 쾅! 쾅!

조용해진 산간도로. 뒤집힌 차 안에 거꾸로 매달려 있는 나한과 김동수.

나한의 입에서 피가 주르륵 흐른다. 간신히 눈을 뜨는 나한.

거꾸로 매달린 채 가만히 있는 김동수의 뒷모습.

그것 (V.O)

모 든 것 은 뒤 집 혀...

cut to 금화의 집 헛간

그것

하 늘 은 땅 이 되 고 땅 은 하 늘 이 될 것 이 니

cut to 산간도로 3

휘발유가 콸콸 쏟아져 김동수를 적신다. 서늘하게 눈을 뜨는 김동수.

움직여 문을 열고 밖으로 기어 나와 일어선다.

그 순간 그의 발목을 가까스로 잡는 나한.

김동수

(내려다보며 차분하게)

나는... 너에게... 여기서... 죽을 수 있지 않다.

나한을 차갑게 내려보던 김동수.

자신의 발목을 잡고 늘어지는 나한의 손을 짓밟는다.

flash back 금화의 집, 헛간

겨우 손을 뻗어 나한의 손을 잡는 그것. 뭔가를 전해준다.

놀란 표정의 나한. 손을 펴보니 낡은 라이터다.

cut to 산간도로 3

나한의 손을 발로 치우고 비틀비틀 걸어가는 김동수의 뒷모습.

나한은 마지막 힘으로 기름이 떨어져 있는 바닥에 라이터로 불을 붙인다.

확~ 소리에 뒤를 돌아보는 김동수.

김동수
...!

그의 눈으로 들어오는 불길. 불에 휩싸이는 김동수의 처절한 모습.

cut to 금화의 집 헛간

힘을 잃어가는 그것의 눈동자.

그것
뱀 은 불 타 고... 결 국 법 은 이 루 어 질 것 이 다

150. 금화의 집_ 헛간 / 산간도로 3. 밤

헛간 문을 열고 들어오는 금화. 바닥에 죽어가는 그것이 보인다.

/ 산간도로 3

현장에 도착하여 차에서 내리는 박 목사와 요셉.

불타는 김동수를 보며 어찌할 바를 모르는 요셉. 그의 어깨를 잡아 말리는 박 목사.

몸부림치며 불타고 있는 김동수가 고속으로 보여지고

그것을 묵묵히 바라보는 박 목사.

그의 안경에 비치는 불타는 김동수의 모습.

/ 금화의 집, 헛간

무릎을 꿇고 그것을 품에 안는 금화. 무너지는 금화의 표정.

세~세~ 하고 숨소리를 겨우 내는 그것.

금화는 마치 아이를 안듯 그것을 꼭 안아준다.

금화의 품에 아기처럼 안겨 있는 그것. 금화의 다친 다리를 묘하게 쓰다듬어준다.

놀라는 금화의 얼굴. 그리고 서서히 눈을 감는 그것.

/ 산간도로 3

불탄 채, 바닥에 쓰러지는 김동수. 서서히 죽어간다.

/ 금화의 집, 헛간

세~ 하고 마지막 숨을 쉬며 동시에 죽는 그것과 김동수.

흐느껴 울며 그것을 다시 꼭 안아주는 금화.

Insert 헛간의 나무 위 새들이 날아간다.

차에서 내리는 금화의 할아버지와 할머니. 그 너머로 몰려오고 있는 경찰차들.

151. 산간도로 3. 밤

도로 가운데 자동차에 기대어 초라하게 죽어가는 나한.
그리고 그에게 천천히 다가가는 박 목사.
겨우 숨을 쉬며, 박 목사를 응시하는 나한. 뭐라고 말하려 한다.
박 목사 천천히 몸을 숙여 나한에게 귀를 가져간다.

Insert 가로등 빛 안으로 떨어지는 눈.
박 목사 뒤편에 서 있던 요셉. 하늘을 올려다본다. 눈이 온다.
자신의 코트를 벗어 죽은 나한에게 덮어주는 박 목사. 씁쓸하게 나한을
바라본다.
그때 펑! 펑! 산 아래 도심에서 화이트 크리스마스를 축하하는
불꽃놀이가 시작된다.
멍하니 서서 불야성의 도심을 바라보는 박 목사와 요셉.
그리고 박 목사의 안경에 반사되어 보이는 불꽃놀이의 불빛.
나한의 몸에 떨어지는 눈송이들. 어느새 박 목사가 덮어준 쥐색 코트가
흰색으로 변해간다.

cut to
죽은 나한으로부터 천천히 멀어지는 카메라. 사이렌 소리가 점점 크게
들려온다.
산간도로에 도착해 있는 경찰차와 구급차. 사고 현장을 수습하는
경찰들과 형사들.
멀찍이 서서 현장을 바라보는 황 반장. 그 옆의 박 목사와 요셉.

조 형사

(전화기를 들고 다가오며)

반장님! 이금화 쪽에서 연락이 왔는데... 애는 무사하다 그러네요.

황 반장

...

조 형사

근데... 그 집에 출생신고도 안 한 뭐... 쌍둥이가 있었다는데...
걔가 죽었다네요.

조 형사의 말을 들은 요셉은 박 목사를 바라본다.

박 목사

...

152. 박 목사의 차 안. 밤

다시 달리는 박 목사의 차 안. 적막이 흐른다.

박 목사 (V.O)

반장님... 몇 명 정도이던가요...

황 반장 (V.O)

그게... 정확하진 않지만... 흠... 50명은 넘을 겁니다.

반대편 차선으로 구급차 한 대가 요란하게 지나간다.

고요셉

목사님...

박 목사

말해...

고요셉

...마지막에 뭐라고 하던가요?

박 목사

...누가?

고요셉

정나한이요... 뭐라고 하던 거 같던데...

박 목사

...

고요셉

...

박 목사

뭐... 춥다고 그러더라.

고요셉

...

아무 말 없는 요셉. 그리고 묵묵히 운전을 하는 박 목사.
룸미러에 흔들거리며 걸려 있는 십자가. 그 너머로 보이는 밤하늘.
여전히 눈이 내리고 있다.
시커먼 하늘. 계속 화면으로 쏟아지는 눈. 점점 많이 온다. 그 위에
들려오는 박 목사의 기도.

박 목사 (V.O)

어디 계시나이까 우리를 잊으셨나이까
어찌하여 당신의 얼굴을 가리시고 그렇게 울고만 계시나이까
깨어나소서 저희의 울음과 탄식을 들어주소서
일어나소서 당신의 인자함으로 우리를 악으로부터 구하시고
저희의 기도를 들어주소서

〈끝〉

오컬트 3부작 : 장재현 각본집
— 사바하

© 2019, CJ ENM CORPORATION, FILMMAKERS R&K
ALL RIGHTS RESERVED

1판 1쇄 인쇄 2024년 4월 25일
1판 1쇄 발행 2024년 5월 16일

지은이 장재현
펴낸이 정유선

편집 손미선
디자인 퍼머넌트 잉크
제작 제이오

펴낸곳 유선사
등록 제2022-000031호
ISBN 979-11-986568-2-7 (04680)
　　　979-11-986568-4-1 (세트)

문의 yuseonsa_01@naver.com
instagram.com/yuseon_sa